站在巨人的肩上

Standing on Shoulders of Giants

TURING

图灵教育

www.ituring.com.cn

站在巨人的肩上
Standing on Shoulders of Giants
TURING
图灵教育
www.ituring.com.cn

·图灵交互设计丛书·

简约至上

交互式设计四策略

[英] Giles Colborne 著
李松峰 秦绪文 译

人 民 邮 电 出 版 社
北 京

图书在版编目（CIP）数据

简约至上：交互式设计四策略 /（英）科尔伯恩(Colborne,G.）著；李松峰，秦绪文译. -- 北京：人民邮电出版社，2011.1（2013.7重印）
（图灵交互设计丛书）
书名原文：Simple and Usable Web,Mobile,and Interaction Design
ISBN 978-7-115-24324-9

Ⅰ. ①简… Ⅱ. ①科… ②李… ③秦… Ⅲ. ①网站—设计 Ⅳ. ①TP393.092

中国版本图书馆CIP数据核字(2010)第223129号

内 容 提 要

本书介绍交互式设计的技术与技巧，讲述如何从目标用户的需求和期望出发，结合人类本身的心理特征和行为特点，用最简单的方法创建易用、有效而且让用户愉悦的设计。书中阐释了合理删除、分层组织、适时隐藏和巧妙转移这四个令交互式设计成果最大程度简单易用的策略。

本书适合 Web 应用、互联网产品、移动应用及其他交互设计人员阅读。

图灵交互设计丛书

简约至上：交互式设计四策略

◆ 著 [英] Giles Colborne
译 李松峰 秦绪文
责任编辑 朱 巍
执行编辑 谢灵芝

◆ 人民邮电出版社出版发行 北京市崇文区夕照寺街 14 号
邮编 100061 电子邮件 315@ptpress.com.cn
网址 http://www.ptpress.com.cn
北京精彩雅恒印刷有限公司印刷

◆ 开本：880×1230 1/32
印张：6.25
字数：180 千字 2011 年 1 月第 1 版
印数：25 501–29 500 册 2013 年 7月北京第 11 次印刷

著作权合同登记号 图字：01-2010-6165号

ISBN 978-7-115-24324-9

定价：35.00元

读者服务热线：(010)51095186 印装质量热线：(010)67129223
反盗版热线：(010)67171154

版 权 声 明

本书献给我的妻子Pey，还有孩子Leah和Bea。

致　谢

写这本书可是一点也不简单，这跟我多年来孜孜以求的目标恰恰背道而驰。很多人为本书的诞生付出了长期而艰辛的努力。

首先，我要感谢我的家人 Pey、Leah、Bea 和我的父母。感谢他们从不抱怨，还为我写书出谋划策、创造条件。

Peachpit 出版团队十分了不起。感谢本书编辑 Margaret Anderson 自始至终对我的鼓励和鞭策；感谢项目编辑 Michael Nolan、主编 Nancy Davis；感谢 Gretchen Dykstra，她敏锐的目光和满腔的热忱让我印象深刻；感谢 Mimi Heft，她的设计很可爱；感谢 Becky Winter 和 Danielle Foster 为本书排印付出的汗水；感谢 Glenn Bisignani 的营销工作，他让人们知道了这本书。

我在 cxpartners 的同事为本书作出了重大贡献，没有他们的千锤百炼，就没有本书明确的主题思想。他们是 Richard Caddick、Joe Leech、Verity Whitmore、Anna Thompson、Danielle Gould、Chui Tan、Walt Buchan、Neil Schwarz、Anthony Mace、Jesmond Allen、Fiz Yazdi、James Rosenberg 和 Nik Lazell，这是一群活力四射的人。

来自其他作者的宝贵建议和支持，也让我感受到了来自外界的温暖。感谢 Steve Krug、Kevlin Henney、Yang-May Ooi、Jason Cranford Teague、Louis Rosenfeld、Caroline Jarrett 和 Whitney Quesenbery。

感谢在闲谈交流间给了我灵感和启示的所有朋友：Omni 集团的 Naomi Pearce、Ken Case，Bare Bones 软件公司的 Rich Siegel，还有 Jürgen Schweizer、Keith Lang、Barney Kirby、Mariana Cavalcanti、Bill Schallenberg、Luis Babicek、Ken Kellogg、Fran Dattilo 以及万豪酒店的所有其他同仁，以及 Alan Colville、David Jarvis 和 Pete Greenwood。

最后还要感谢给我反馈和出主意的朋友：Tyler Tate、Bonny Colville-Hyde、Dot Pinkney、Jon Tan、Donna Spencer、Dave Ellender、Ian Fenn、Matthew Keeler、Brenda Bazylewski、巴斯大学和布里斯托尔可用性小组的同仁。感谢所有给我帮助和启示的朋友。

目　　录

第1章

话说简单

关于简单的故事

我买的第一台打印机可是个不好伺候的主。为了安装好这台机器，不仅要把它的各种部件组装到一起，还不得不再到镇上跑一趟——因为他们把配套的线给拿错了。回来以后，我一边看着计算机手册，一边检查硬件设置，还要打开机箱用曲别针把某些开关拔弄到位。试了几次之后，终于调整好了。然后，又开始在计算机上安装驱动程序。经过一番潜心探索才搞定，整个过程大概耗费了几个小时。

多年来，人们只要一跟技术活沾边就都会遇上些麻烦：把手机设置成某种状态，把笔记本电脑接到等离子显示器上，在一个长达3屏包含113个链接的网页上查找天气信息。本来应该给我们带来便利的技术，经常又好像是在和我们作对一般。

今年我又给家里添了一台新打印机。安装过程如下：从箱子里把它拿出来，揭掉固定易脱落部件的黄色胶带，插上墨盒，打开开关。这时候，打印机告诉我它想连入我的Wi-Fi网络，问能否请我帮它输入密码？当然没问题了。然后，这台打印机和我的计算机都没有再找我的麻烦。安装一台新打印机简单得就好像打开一台新收音机。

我忍不住想：为什么不能都这么简单呢？

我不是第一次问自己这个问题了。我在工作中一直就在想方设法把技术变得简单。问题在于一谈到简单，人们只会想到诸如“少即是多”这样含糊其辞的话。为此，我已经摸索出一些切实可行的策略，也收集到不少相关的实例和故事，准备在本书中与大家分享。

为什么安装打印机不能像插电源插座那么简单?

简单的威力

2007 年，乔纳森 · 卡普兰（Jonathan Kaplan）和艾瑞 · 布朗斯坦（Ariel Braunstein）发明了一种简单的便携式摄像机 Flip，在美国便携式摄像机市场上掀起了一股狂潮。[①]

与此同时，索尼和松下等公司为了抢占市场，还在忙着向自己的摄像机产品中增加一些高级功能，例如添加好莱坞电影式字幕等视频特效。

相比之下，Flip 摄像机显得很原始，它的分辨率不高，而且没有物理变焦等“基本”功能。一年后，Flip 摄像机从默默无闻到一下子销售出上百万台——当时全美国市场的摄像机销量只有 6 百万台。

卡普兰和布朗斯坦敏锐地意识到便携式摄像机已经变得复杂难用。大多数人不想在自己家拍大片，他们只想随时能掏出摄像机，即兴拍一些花絮，然后共享到 YouTube。

Flip 的目标就是尽可能简单，甩开一切不必要的功能。没有连接线，因而没有配件遗失或丢落之虞，只有一个弹出式的（flip-out）USB 接口，这也是 Flip 名字的由来。Flip 只有 9 个键，其中还包括一个大大的红色录像键。甚至连软件驱动 CD 都没有——所有必需的软件都保存在摄像机内，第一次将 Flip 连接到 Mac 或 PC 时就会自动载入。

像 Flip、早期的大众甲壳虫汽车以及 Twitter 这样简单的产品，都会对市场产生深远的影响。它们简单易用，因此能够为大众所接受；它们值得信赖，因此会赢得用户；它们适应性强，因此总会发展出别具一格的应用方式。

拜 Web、手机和低价计算机所赐，技术消费者越来越多。推出简单而强大的产品的机会也会越来越多。

---

① 参考链接：http://tinyurl.com/24cakqk。——译者注

人们喜欢简单、
值得信赖、
适应性强的产品。

复杂的产品不可持续

复杂的产品很吸引人。早在 2006 年，技术专栏作家大卫 · 波格（David Pogue）就把这种现象称为“夸耀效用原理”：人们喜欢自己被包围在不必要的功能中。[①]

这个原理说得不错。那时候，美国汽车制造业的潮流是生产和销售大型、笨重、昂贵、高油耗的汽车，而且需求量极大。汽车公司通过出售周边产品就可以赚钱。到了 2008 年经济危机，突然，没有人再需要不必要的功能了。汽车厂商才发觉自己已经濒临绝境，而要恢复元气重回正轨则需要数年时间和几十亿美元。

不断向软件中增加功能，同样也是不可持续的。

增加的功能越多，就越难发现真正对用户有价值的新功能。这样盲目添加的新功能早晚会成为垃圾功能。增加复杂性意味着遗留代码越来越沉重，导致产品维护成本越来越高，而且也越来越难以灵活应对市场变化。

与此同时，用户也会对你的产品越来越不满意。因为增加的复杂性导致他们很难找到自己真正需要的功能。况且，一想到为那么多没用的功能买单，他们就更加不高兴了。

汽车巨头 2008 年的遭遇已经明确地告诉你：用户胃口变化的速度要多快就有多快，霎那间的改变会令你措手不及。

① 参考链接：http://tinyurl.com/l7a8ff。——译者注

所有不必要的功能
都是要付钱的。

不是那种简单法

曾经有一次，一家公司请我去给他们公司的内部网提提意见。这个内部网刚刚重新设计过，但销售人员都抱怨自己的工作变得更麻烦了。

销售人员给我展示了碰到一个潜在客户时要填写的一页一页的表格，非常烦琐。我不明白他们为什么会开发这么一个死板低效的系统。

在随后跟建立这个内部网的管理人员聊天时，他们告诉我这个新内部网有多么好，说它能够节省多少多少时间和精力，因为它可以“自动”为管理人员生成报告。

不出所料，这些报告与销售人员目前要填写的表格严丝合缝、一分不差。管理人员把自己的工作压力转嫁给了销售人员，后者苦不堪言，而前者居然沾沾自喜。

在做技术产品的设计时，至少有 3 个角度：管理人员、工程师和用户。

本书是从用户角度来看问题的，换句话说，我们要讨论的是怎么让用户感觉用起来简单。

有时候，通过简单的技术或者简单的管理，就可以创造简单的用户体验，但也不尽然。Google 背后的技术可谓复杂，但他们雇用了几千人就是为了让用户在因特网上搜索信息变得简单。

一个人在一种情形下感觉简单的事物，换一个人或者换一种情形，可能就不会觉得简单了。如果你让一位开一级方程式赛车的车手开简单得多的小 Mini 轿车去比赛，恐怕他怎么也不会感觉容易。不过，虽然为富有经验的用户设计复杂系统是个好玩儿的题目，但只有脱离了专家的掌控并以广大用户为念，技术才会真正变得有意思起来。

本书主要考虑大多数用户的体验。

是比自行车简单，
但你自己骑一骑试试？

特征

简单并不意味着最少化。朴素的设计仍然具有自身的特征和个性。

有两把简单的椅子：一把夏克椅（Shaker chair），一把潘顿椅（Panton chair）。它们都把椅子的组件减到了最少。在设计它们的时代，都可以使用相应的技术轻易把它们制造出来。而且，它们解决了不同的问题：夏克椅耐磨，而潘顿椅方便堆叠。

这两种椅子的设计简单、纯粹，但它们又各自具有完全不一样的特征和用途。

用料、对关键要素的强调，甚至组合几个要素的方式，都会直接影响到最终设计。人们能够识别出差异，并为这些差异赋予相应的价值，就像他们会区分开 Google 和 Bing 的搜索或者两家网上银行之间的微妙差异一样。

> 简单并不意味着欠缺或低劣，也不意味着不注重装饰或者完全赤裸裸。而是说装饰应该紧密贴近设计本身，任何无关的要素都应该予以剔除。
>
> ——Paul Jacques Grillo（*Form, Function and Design*）

换句话说，抛开极简主义，也能够成就简单。简单的特征和个性应该源自你使用的方法、所要表现的产品，以及用户执行的任务。

都简单，但各自有
独一无二的特征。

貌似简单

简单的设计似乎用不着怎么花心思。所以，每每事与愿违，人们就容易灰心丧气。要做到简单，到底有没有捷径可走呢？

貌似简单的例子随处可见。减肥药、高尔夫球俱乐部的激光瞄准镜，以及“足不出户发大财”的方案等。这些貌似简单的东西没有一个能够应验的。相反，它们的存在反而会让事情变得更复杂，效果更差。

但是，某些貌似简单的做法已经被大众普遍接受。这些做法的特点是能解决眼下的问题，相对便宜，而且不会引起什么争议。

正因为如此，一遇到设计难题，貌似简单的点子就会层出不穷。

而且由于所有人都“知道”这些做法有效，因此即使失败也不会追究谁的责任。

使用貌似简单的解决方案的人反而会说：“我一直都在努力。”可实际上他们并没有非常努力，也没有做得很好。

说明书好像在说：“看看吧，我们为了向你解释明白已经费尽了心机。如果你还不明白，可就是你的问题了。”于是，他们就有了一种伪装的绝好方式，因为他们把失败的责任都推给了用户。问题在于，大多数用户根本不会看使用说明，他们只想拿过来就用。

操作向导把一件事分成几个步骤，企图以此达到简化的目的。但实际上，向导意味着剥夺了用户的控制权，所以，人们才会感觉受到了向导的限制。设计一个简短的向导也许能管用，但向导过程越长，体验越差。

另一个貌似简单的例子，就是让一个有魔力的角色来预测用户需求，并告诉用户该怎么做。理论上看似乎让角色来告诉你下一步做什么的方式很友好，而且也人性化。可是，计算机怎么能确切知晓你的需求呢？它又怎么知道你是不是讨厌它呢？看到一条消息显示在建议框中是一回事，而被一个卡通角色牵着鼻子走就是另外一回事了。

热衷于做这种表面文章的人，永远不可能创造出简单的用户体验来。

简单可不是这种
能够粘在用户界
面上的装饰。

了解你自己

看起来好像大大小小的组织都对简化事情天生具有免疫反应。

几年前，我曾经与一位汽车公司主管聊天。他的工作就是简化产品的功能。只要他说去掉某项功能，就总会有销售人员反对说：我的一个客户极为看重那项功能。即使这个客户对公司的整体销售量没什么影响，但销售人员仍然会说：没办法，那可是我最重要的客户啊。

要想解决上述矛盾，非得有一些资历更老的人介入不可。在这种情况下，你必须找到一个能够让管理层接受的理由。公司一般都是以赚钱多少和增长快慢来说话的。因此，在考虑简化用户体验之前，必须先搞清楚公司是怎么运作的。下面是 Adaptive Path 公司的彼得 • 梅洛兹（Peter Merholz）给出的一个技巧。

大多数公司都是按照一个方程式运作的。例如：

（汽车销售量）×（汽车单价）－（成本）＝（利润）

你要搞清楚简化用户体验将会如何影响方程式中的每一项。简化产品后公司能卖出更多车（例如，更符合用户的需要），还是能够提高价格（因为能给人更先进的感觉），还是能够降低成本（因为零部件采购价格更便宜）？

然后，还要将这些改变排出先后次序。比较好的做法就是对每项改变的重要性和可行性做出评估。如果问别人，他们会说什么都重要，一切皆可行。为此，最好让他们将重要性和可行性分出几个固定的档次。

落在图中右上角区域的改变最重要、最可行，因此也是你应该立即着手实施的。如果你能做出这个评估，就能为简化找到充足的理由。

接下来，我们探讨一下简单的用户体验到底是什么样子的。

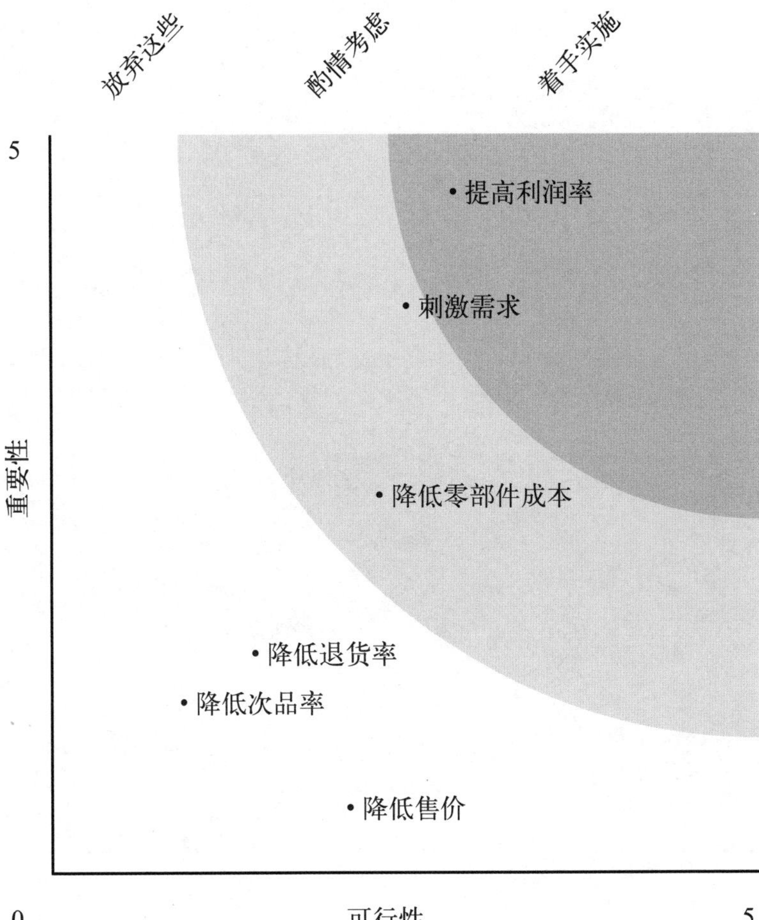
放弃这些
酌情考虑
着手实施
5
重要性
0
可行性
5
提高利润率
刺激需求
降低零部件成本
降低退货率
降低次品率
降低售价

第2章

明 确 认 识

描述要点的两种方式

无论是设计整个 Web 站点还是设计一个下拉菜单，都需要对什么是简单的体验有一个认识。这个认识将成为判断自己是否保持简单的一个标准。

我有两种方式来建立这个认识。

简单而迅速的方式是用一句话把它写出来，包括我要设计什么、要遵循哪几条设计规则，尽量使用最简单的术语。然后，在面对设计功能对照表而犹豫不决时，我就会暂时停下来，问我自己："做这个表是为了什么？"这个描述是我判断设计是否简单的基准。在做一些比较小的设计（如大型网站中的一个页面）或者在我多多少少了解设计背景的情况下，这种方式都是很奏效的。

更好而花费时间更长的方式是描述我希望用户拥有什么体验。具体一点儿说，就是描述用户的使用情景，以及我的设计怎么满足用户在该情景下的需求。在设计一些大型项目时（比如整个网站或者移动设备），这种方式很合适，因为这种方式可以让我深入透彻地考虑到每一个细节。

在我不确定怎么解决某个设计问题时，描述用户的体验也非常有用。在设定了目标和限制之后，我就知道什么方案不合适，因而会有更充分的时间去思考那些合适的点子。

在需要与其他人取得共识的时候，这个办法也非常好。根据我的描述，可以让他们知道我必须要考虑哪些限制，而我的方案正是针对这些限制拿出来的。

换句话说，长期坚持理解用户生活的世界，理解他们的偏好和行为，始终都是第一位的。因此，这一部分先来解释如何理解用户。

每个设计都是在考虑诸多限制之后给出的方案。最好是在设计之初就搞清楚都存在哪些限制。然后才能保证自己的设计能够与用户的需求紧密贴合。

先理解用户，
再思考合适的设计。

走出办公室

先到用户要使用你的软件的地方去做个调查。多数设计方案的评审都是在安静的会议室里进行的。在会议室里，所有人都会对设计方案投入十分的注意力。然而，很少有用户是在这种安静的环境下使用软件的。用户体验是否简约必须要在纷乱、多变的环境中才能考察出来。

几年前，有公司请我重新设计一个软件，以便几位汽车经销商能够合作编写一份市场营销计划。简单地说，就是要把几份材料合并成一份报告，以便经销商能够在各处的销售网点制定计划。

好在我们一位同事去拜访了几个经销商，跟他们的经理面谈以了解需求。在第一家经销商那里，经理的办公室前面有一道玻璃墙，透过玻璃可以看到展厅。谈话间，那个经理的眼睛会不时地瞥一瞥展厅，一看到有客户表情失望，他就立即跑过去亲自解释一番。同样的场景在每家经销商那里都会重演：经理们因为他们客户有需求，经常要中断手头的工作。

了解到这个情况以后，我们的设计思想有了转变。不再是合并组件，而是把这些组件再分成更细的块，从而让管理人员能够在很短的时间内就可以完成一块。

到用户工作的地方去参观考察是非常重要的。假如我们只是凭空想象经理们坐在办公桌后面的情景，肯定会忽略最重要的影响因素。

在真实的环境中观察用户不需要多少时间，而且几乎也不用因此额外花什么钱。即使是短暂的拜访参观，也会让你收获很多。

如果你不能到用户现场，那么就要跟用户多了解一些他们工作环境的情况，特别是要知道他们在使用你的软件的时候经常会发生什么事情。

最近，有人请我去评估过一个手机网站，这个网站在橄榄球锦标赛期间做了一次促销活动。站点负责人不明白为什么用户呆不了几分钟就走了——根据他们离开时的页面也看不出自己违反了哪一条可用性规则。

通过访问用户，谜底终于揭开了：他们都是在电视插播广告的时间内上这个网站的。橄榄球比赛一开始，他们会马上回到电视机前。后来这个站点经过好一番设计才达到要求。

无法控制用户使用软件的环境，而只能使软件设计符合环境需求。

软件使用环境
是观察用户的最佳地点。

观察什么

一旦走进现实的环境，你就会发现影响用户体验的因素原来如此之多。以下是几种现成的环境。

办公室

- 在开放式的办公室里，各类人员之间会频繁地相互干扰。看吧，由于某个有意思的话题顺风传入耳朵，有人就会放下手头的工作把耳朵竖起来，人们因此而打断工作的频率会高得让你大吃一惊。
- 来电话了，收到短信了，有新邮件了……，这些全都是干扰用户的因素。
- 如果有人要为某个会议打印文档，他们通常都会等到最后一分钟才去打印。而忙中出错那更是常有的事儿了。

家里头

- 人们在家里边使用笔记本电脑边看电视或听收音机，花在哪方面的时间和注意力多些实在不好说。
- 家庭宽带连接有可能不如公司的线路那么稳定，速度可能也没那么快，尤其是晚上的上网高峰期。
- 妈妈要在孩子看动画片的 30 分钟左右的时间内上网购物，要从 3 万种商品中选择购买 100 种日用品。

户外

- 站在大街上，你会看到人们快走到十字路口时才忙着查看手机上的地图。如果这时候他们还得先看懂使用说明，那这个软件肯定是没有前途的。
- 人们在打手机的时候可能会背着几个包，如果手机按键不够大，就会非常麻烦。
- 人们在排队的时候可能会试用手机应用——随时都可能被打断。
- 明亮的阳光可能会让人看不清手机屏幕。
- 较大的设备，例如平板电脑，很容易让人觉得太重，拿着不舒服。于是，人们总会想把它们放在某个地方。

你的用户体验应该简单到不受这些干扰的影响，能够在人们被打断的间隙生存。

在家里、在公司、在户外，
你的设计必须能够适应各
种干扰。

三种用户

提到简单，可以把用户分为三种类型。

专家型用户愿意探索你的产品或服务，并且会给你提出各种改进建议。他们希望看到为他们量身定做的前所未有的技术。即便拿到的是一个从未见过的产品，他们也会摆出专家的态度。换句话说，他们舍得花时间研究新产品，探索产品的新功能。如果你是造手机的，他们就是那些想要浏览手机的文件系统，哪儿都动一动的人。不过，这一类用户总体上占少数。

第二类可以叫做随意型用户。他们可能使用过类似的产品或服务。他们有兴趣使用更高级更复杂的产品，但却不愿意接触全新的东西——要想让他们认可新功能，那么新功能必须足够简单。比如说，他们可能会对更先进的手机感兴趣，但是必须保证能够轻松地导入他们宝贵的联系人。这一类用户比你想象得少，而且他们的学习意愿不强烈。

最大的一个用户群体是主流用户。他们自己不会因为你的技术而使用你的产品，使用你产品的目的是完成某项任务。他们会掌握一些重要功能的使用方法，但永远不会产生学会所有功能的想法。这些人的口头禅就是：“我的手机只要能打电话、能发短信就行了。”大多数人属于这一类。

你可能会天真地认为，一段时间以后，其中一类人就会升级为另一类人。但这几乎是不可能发生的。即便一个产品用了很多年，用户类型的标签也是不会变的。

举例来说，有一大群使用微软的 Excel 软件长达 5 年的用户，其中有一些人可能已经知道了某些设置和选项的作用，有一些人会掌握一些高级技巧，能够通过它们为自己提供便利，而剩下的一大部分人则只会对金额一栏求和。

各人对技术所持的态度与他们在使用产品或服务上花费的时间相比，前者对他们的影响更大。

针对前两种类型的用户设计产品或许更有诱惑力——他们更识货。不过，感觉简单的体验却是主流用户所喜爱的。

主流用户占绝对的主体地位，专家型和随意型用户只是少数派。例如，2009 年的专业数码相机（如 SLR）的销量只占整个数码相机市场的 9%［资料来源：CIPA（Camera & Imaging Products Association，相机和影像产品协会）］。

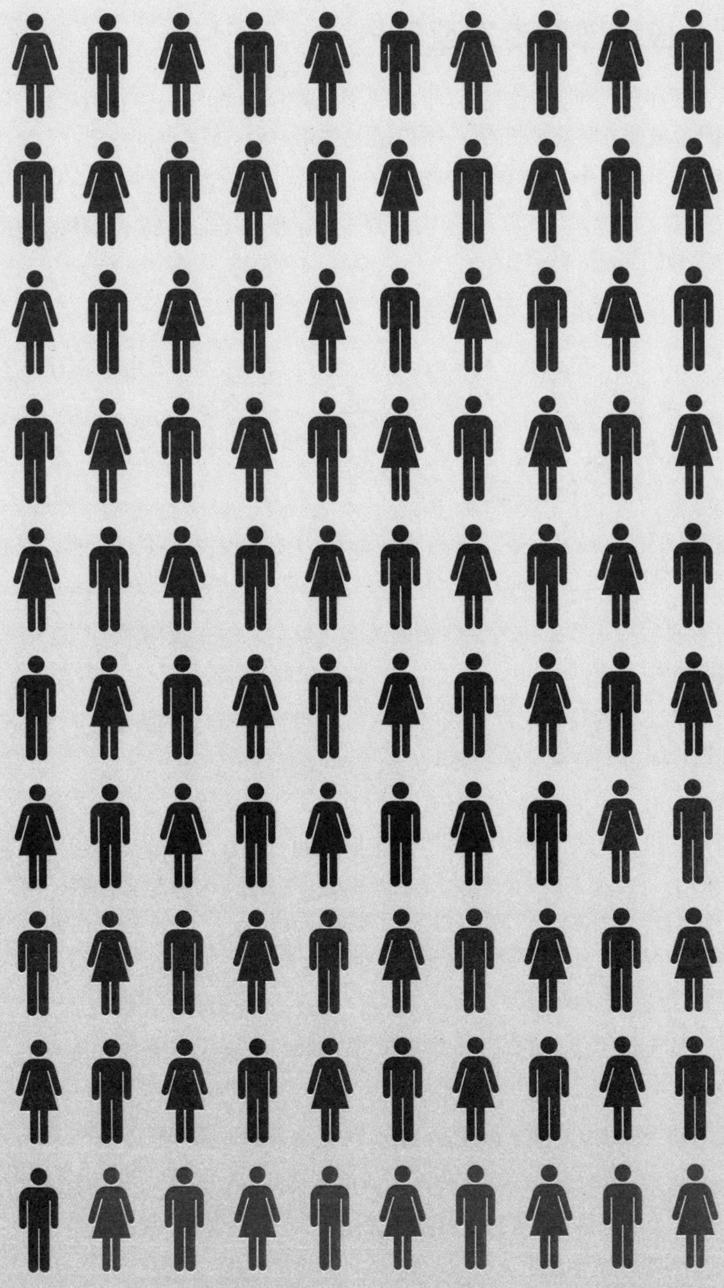

为什么应该忽略专家型用户

大多数公司都会在听取专家型用户的意见上花费很多时间——这些用户都是使用他们产品或服务时间最长的——因为跟这些用户会有很多共同语言。专家型用户都是技术狂热者，他们能够畅所欲言，对如何改进当前产品固执己见。

然而，专家并不是典型用户，他们的判断会出现偏差。他们不会体验到主流用户遇到的问题。

他们追求主流用户根本不在乎的功能。

iPod 发布的时候，Slashdot（一个由专家及技术发烧友运营的博客）上就有人说："不能无线上网，内存比 Nomad①还少。没什么意思。"

另一个人也评论说："我觉得 iPod 不会很好卖。"还有人说："总之，作为一名苹果的'粉丝'，我只能说太失望了！"

更有甚者，另一个技术发烧友博客 MacRumors 上有评论说："真是太难以置信了！这么个破玩艺儿值得如此造势宣传吗，不就是一个 MP3 播放器吗？"

苹果的专家型用户都希望看到会飞的汽车。但苹果的主流用户却只想要一个能用的 MP3 播放器。

诸如此类的事情我见得多了：极少数人在那里制造噪音，顽固地要求那些对典型用户而言太过复杂的功能。

你会发现，要想说服投资人（作为业内人士，当然也是专家）不去轻信专家型用户（跟投资人类似）的意见是很困难的。毕竟，你的最佳用户都在你的产品上面投入了很多时间和金钱，而且，跟他们沟通起来没有任何障碍——他们一看到你，三句话就能说到你的心眼里，一些专业词汇甚至比你都熟悉。况且，他们都是那么通情达理——如果你让他们升级到最新版本，他们一点都不会犹豫。

可是，一旦先听了他们的意见，你的产品就会让主流用户感到太复杂，不好用。

截止到 2010 年 1 月，苹果公司已经卖出 2.4 亿台 iPod，而不是会飞的汽车。

如果你的投资人想根据专家型用户的意见设计一款广受大众欢迎的产品，别忘了把这个故事讲给他们听。有时候，最好对专家型用户视而不见。

---

① 游戏公司 SEGA（世嘉）在 1995 年推出的一部彩色便携式掌上游戏机。——译者注

专家想要的功能往往
会吓倒主流用户。

为主流用户而设计

保持中立好像会更稳妥一些。与什么都苛求的发烧友相比，随意型用户倒是喜欢使用一些新奇的功能，只要把它们设计得稍微简单点就行。

大多数“可用的”设计都将这个用户群作为目标。有在线预订机票经验的人被请去测试旅游网站，有使用手机拍照经验的人被请去测试拍照手机。因此我们要针对那些不是很难伺候的人展开设计。

通过观察这些人可以学到很多东西。我观察过的每一个用户测试都对改进网站或手机有所启示。但把这些人作为目标用户，实际上还是在考虑我们自己。

这类用户能够容忍长期存在的某些问题（比如在手机里转来转去地找自己的照片），因为他们已经学会了忍受。

然而，这些随意型用户还不够典型。这类人数量有限，相对极端，他们的技术水平较好，而且比主流用户更具有忍耐力。

如果你想简单，想要被看成创新设计的先锋，主流用户才应该是你的目标用户。福特的 T 型车并不是市场上的第一辆汽车，但却是第一辆为平民大众制造的汽车。亨利 · 福特之所以能彻底改变汽车业，就是因为他毫不动摇地把典型用户作为自己的目标。他的核心理念就是简单。

> 我们要为大多数人制造一辆汽车。这辆车……足够小，哪怕一个人也可以驾驶它、修理它。我们要为它设计出最简单、最先进的引擎，然后再投入生产。但这辆车的售价却非常低，不会有人因为工资不高而买不起它。
>
> ——亨利 · 福特谈 T 型车

福特所有的创新（他的生产流水线、汽车定价以及容易维修的引擎设计）都源自他为主流用户制造一部简单实用的汽车的愿望。

如果你也想设计简单的产品，记住要为主流用户而设计。

如果为专家设计相当于为机械师造小汽车，那么为中级用户设计就相当于给那些喜欢自己动手修理引擎的人设计汽车。典型的用户应该是主流用户。

想吸引大众
必须要关注主流。

主流用户想要什么

在明确自己的认识时，要时刻把主流用户放在心坎上，这样才不至于无意间切换到专家视角，从而避免一些难以察觉的设计问题。

- 主流用户最感兴趣的是立即把工作做完，专家则喜欢首先设定自己的偏好。
- 主流用户认为容易操控最有价值，专家则在乎操控得是不是很精确。
- 主流用户想得到靠谱的结果，专家则希望看到完美的结果。
- 主流用户害怕弄坏什么，专家则有拆解一切刨根问底的冲动。
- 主流用户觉得只要合适就行了，专家则想着必须精确匹配。
- 主流用户想看到示例和故事，专家想看的则是原理。

不要指望你能教会用户多少东西，或者认为说明书可以帮助他们。在面临压力的时候，他们很容易忘记已经掌握的知识，对操作说明视而不见，回到初学者的层次上。

或许，你自己也有过类似的经历：完工日期迫近，还不断有人分散你的注意力，而你又不小心删除了至关重要的文件，偏偏这时候打印机又出了毛病。

简单的用户体验是初学者、新手的体验，或者是压力之下的主流用户的体验。

主流用户不愿
动手从头组装。

感情需求

尤尔根·施魏策尔（Jürgen Schweizer）是 iPhone 上的待做事项管理应用 Things 的一位开发人员，Things 获得了 2009 年度最佳苹果应用奖。他指出，理解你的设计到底应该做什么至关重要："表面上看，待做事项表就是一个任务列表，每个任务前面都带着一个复选框，通过它用户知道自己都完成了哪些工作。"

然而，人是有感情的动物。即便是像工作表这样直观的应用，他们都想找到一个使用它的理由。

理解感情需求能够帮你把握设计重点，尤尔根说：

> 在思考为什么人们会用我们的软件这个问题时，我们意识到他们的工作日程通常都满满的。他们希望自己能做完很多工作，感觉一切尽在掌握。他们需要一个能囊括上千条任务，但翻阅起来又不费事的工作表。因此，我们尽最大努力确保他们看到的始终都是少数最重要的工作，同时也能方便地找到其他的提醒或备忘。

当然，无论是谁，当他在工作表里随便添加一条备忘时，都不可能想那么多。结果呢，他们的工作表就很容易变得混乱失控。但尤尔根并不想在用户写备忘的时候干扰他们，如果创建一个新任务还要思考把它放在哪一类更合适，那么用户一定会厌烦的。

认识到这一点之后，Things 开发团队决定先找到组织和筛选任务的自然而又有效的方法。正如尤尔根所说的，如何做到这一点其实是一个非常微妙和复杂的问题。"说起来也简单，就是要让用户在创建任务时有一种轻松自在的感觉。我们必须让用户有一种自信，觉得无论怎么创建任务，将来都可以轻松地找到它。"解决了这个问题正是 Things 在几百个 iPhone 任务管理程序中脱颖而出、人气十足的根本原因。

通过讨论更深层次的、感情上的需求，Things 的开发人员理解了人们需要他们软件的真实原因，因而也促使他们把设计重心放在了满足隐性需求上面。

一个真正有用的应用不可能只是一个记事本。它还必须让用户感觉井然有序、轻松自在。Things 就是一个真正有用的应用，因为它为用户提供了简单、灵活的组织任务的方式。

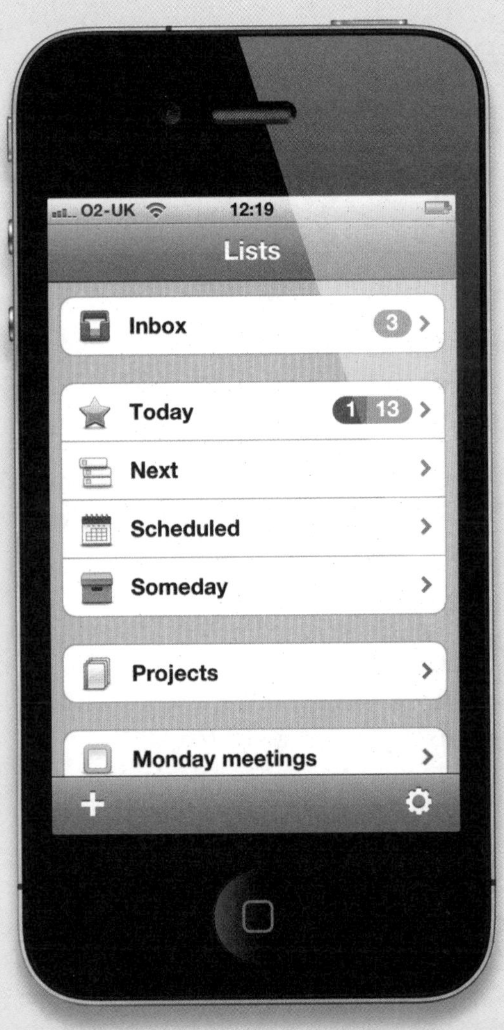

即使是任务列表
也要满足感情需求。

简单意味着控制

要想阐明用户的感情需求是需要一些技巧的。把人召集起来，坐在会议室里大谈特谈用户的情感，想想都知道会让人不舒服。

好在，从简单这个角度来看，最重要的是让用户感到自己在掌控一切。

首先，用户希望感觉是在掌控自己使用的技术。

专家希望控制和定制技术。你需要站在主流用户的角度来思考“掌控”的含义：掌握结果。他们可不管什么软件或者技术，也不想让产品告诉自己该做什么。主流用户希望自己掌控起来容易、可靠、迅速。

你的设计不能跟这种掌控的感觉有什么抵触，而是应该放大这种感觉。简单的体验会让用户自信作出了正确的选择。简单的体验会让用户没有后顾之忧，因为产品的响应方式都是意料之中的。

其次，用户希望感觉是在掌控自己的生活。

有时候，掌控的感觉意味着要完成一个任务：女人买裙子时想要感觉掌控着自己的形象。有时候又意味着获取信息：男人看新闻就是要了解世界上发生了什么事（从而感觉自己对世界局势有所掌控）。

用户需要感觉自己掌控着自己的生活——从这种需求出发，还应该更进一步问：“然后呢？”

以前一节中的 Things 应用为例，用户的全部需求就是要掌控局面。然后呢？对于使用任务管理程序来说，他们需要支配所有的任务。然后呢？表中的任务太多会让他们感到局面失控。然后呢？他们不想同时看见那么多任务，而且眼前的任务都应该是最关心的。然后呢？必须找到一种组织任务列表的轻松方式。

像这样反复问自己“然后呢”，最终会发现用户的感情需求、合理需求，直至解决方案。而且，也有助于对你想要解决的设计问题有一个更深入的理解。（当然，你还要跟实际的用户去讨论一下你的想法。）

只有知道用户是谁以及他们的真实想法，你才可能有自己深刻的见解。

简单就是感觉在掌控一切。

正确选择“什么”

下一个问题是：“用户在做什么？”

通常，由于设计过程中忽略某些重要的步骤，会导致问题复杂化。比如说，大多数摄像机好像都是用来拍影像的。但是，在拍摄了一段视频之后，你想的是尽可能快地把它分享给朋友们，而这正是大多数摄像机的软肋。

之所以人们会觉得 Flip 摄像机方便，就是因为它能够把两件事做得同样好。

接下来要做的是描述用户从开始到结束一直在做什么。记住，你应该对用户的行为而不是你的设计最感兴趣。如果你在这个阶段过多地描述自己的解决方案，结果就会把自己绕进去。正确的做法是只描述一定程度的细节，能说清楚就行了。比如，一开始可以写“拍摄并分享视频”，然后列出用户行动的每一个步骤，详细程度要前后一致。

关键是不能遗漏用户体验过程中的任何一个步骤。

要保证通过用户的语言来描述行动的经过，否则就有漏掉关键信息的危险。使用 Facebook 的人不说“社会化网络”，他们想的是怎么跟朋友分享照片和新闻。如果你描述经过的角度偏离了用户的立场，那么你写的只能是一个有关数据库或者手机的故事，跟用户不会扯上什么关系。

关注主要的行动，并且要从用户的视角把它描述出来。

绝对不要漏掉
关键环节。

描述用户体验

在研究某个问题的时候，你需要把它转换成一种认识。故事是描述认识的一种好方式。与一大堆需求描述相比，故事可以让读者更容易明白什么重要和为什么重要。

什么，你觉得故事不是非常有条理或者不具备技术性？错了。管理人员无时无刻不在使用故事（想一想公司的使命），技术团队也都在讲故事（流程图和用户案例）。用户体验团队同样也写故事写了很多年了。

故事应该用三言两语把核心体验表达出来。对于像 Flip 这样的数码摄像机，可以这样写：

> 你站在城市街头，忽然一阵骚乱：帕丽斯·希尔顿（Paris Hilton）[①]正向你走来。你迅速从口袋里掏出你的 Flip 摄像机，把它交给一位路人，请他帮忙拍了一段视频，帕丽斯就在你的身后。之后，你赶紧敲开附近朋友家的门，不需要任何安装配置，就通过他的电脑把这段视频分享到了网上。

如果你正在设计一款数码摄像机，这个故事会告诉你如下重要事项。

- 这个摄像机很小，可以方便地带到任何地方。也许是像一个小挂件一样，能够随身携带的那种。肯定不是只有在某些特殊场合才会用到的大摄像机。
- 开机速度快（因为帕丽斯不会等着你），而且拍摄简单，即使是第一次见到它的人都能够拿在手里就拍。
- 要上传视频不需要特殊的软件或者数据线。
- 最后，拍摄视频的目的是为了与朋友分享。

故事可以把大量信息浓缩到寥寥数语之中，效率极高。而且，故事很容易记住，很方便与人分享。也就是说，在你们讨论设计决定时很可能需要准备几个故事。事实上，人人都喜欢故事，即使你不讲，别人也会编出来（“如果我使用这个摄像机，我就……”），让你不由得跟着他们的叙述展开想象——因此，要确保他们在使用你的故事。

有必要多花点儿时间把故事的每一个细节都想清楚。如果你想让自己的设计简单，每一个细节都至关重要。

---

① 帕丽斯·希尔顿，美国希尔顿集团继承人之一，女商人、模特、时尚设计师、歌手、演员及作家。——译者注

想象一下，
你正站在大街上，
突然……

讲故事

不要担心故事的表现形式，关键是把你的所有约束条件诉诸文字。

故事的情节要简短。千万不要长篇大论地详细描述重大活动。要通过一个小故事展示出每一个需求点，并确定满足该需求的功能（核心功能）。这样做有 3 个原因。首先，简单的故事容易记也容易复述，因而容易被别人传播。其次，容易让别人把这个故事的情景套用到其他环境中（你可以想象在一个孩子的生日会上把你的 Flip 摄像机递给孩子的父母）。最后，为故事增加细节就像是拉近相机的焦距：人们会认为你要展示一些重要的信息。乐观估计，你的细节会吸引人；最差的情况，人们也会自己找到细节重要的理由。因此，务必只添加要紧的细节，这样你的故事才会真实丰满。

展示，而不是讲。人常说：行胜于言。描述用户的行为与介绍用户的性格相比，前者给人留下的印象更深刻。不要说用户注重细节，而要去描绘她反复按照备注核对自己的工作。表演出来会给人具体而清晰的感觉。

不要编造。你的故事必须可信，要想可信必须以真人真事为原型。前面讲的用 Flip 摄像机拍摄帕丽斯 · 希尔顿的故事，就是根据我的一位朋友的亲身经历改编的。一个特定的故事可以组合不同的元素，可以揉合不同的情节，即便不是真事也要让人觉得真实可信。如果不是有真人真事来支撑，你就很难诉诸文字，即便写出来也会显得假。按照这里的描述，合理使用相关的细节，就可以让你的故事具体可信。

多练几次，大声地说，对别人讲，重新修改。这样做可以帮你修补故事中的纰漏，提炼出本质的东西来。很快，你就能用简单的一段话讲一个小故事，并利用它阐发你的认识。

好的用户故事应该简明、具体、可信，并且拥有相关细节。

“写作是一项艰苦的工作。清晰的句子可不是意外所得。只有少数句子一次能够写好，大多数句子三遍能写好就不错了。当你绝望的时候，就这么想吧。如果你觉得写作很难，那是因为它本来就很难。”

——威廉 · 辛瑟，《谈写作》

现在就讲个故事。

环境、角色、情节

回顾一下，本章讨论过的认识大致可以为分三个层次。

- 可信的环境（故事中的“时间”和“地点”）
- 可信的角色（“谁”和“为什么”）
- 流畅的情节（“什么”和“怎么样”）

很多复杂的设计都是因为没有考虑到现实世界的压力而导致的，或是因为设计者期望用户自己能够应付一切，或是因为他们不小心漏掉了某个重要的环节。你的设计应该与你所讲的故事完美契合。

皮克斯电影部门负责人迈克尔·约翰逊，曾介绍过皮克斯如何以这种方式来创作电影：电影是从外而内构思的，开始是设置环境（没人的时候，玩具们出来玩耍），接着添加角色和动机（牛仔胡迪羡慕新来的太空人玩具巴斯光年），最后描述情节（他们俩争斗起来，之后落入玩具虐待狂的魔掌，又不得不化敌为友，联手逃脱）。

如果他们在情节上遇到麻烦，就返回到角色，设想角色会怎么做。如果在角色上无法做文章，就去挖掘环境，看看环境会如何影响角色。

同样的做法也适用于构思 Flip 摄像机的用户体验故事。如果你想知道拍视频的这个家伙会怎么做，就要看他是什么人（是一个从未用过摄像机的家伙）以及他身处什么环境（人潮汹涌的大街上，根本没时间问问题），这样你就会发现他一定会在慌乱中想尽快找到一个简单的按钮按下去。

把你的设计放在一个情节中，情节中有可信的角色，发生在可信的环境中。用荷兰著名建筑大师埃利尔·沙里宁（Eliel Saarinen）的话说：“在设计一件东西的时候，一定要考虑到比这件东西更大的环境——椅子在房间里，房间在住宅里，住宅在土地上，土地在城市建设规划中。”

环境

角色

情节

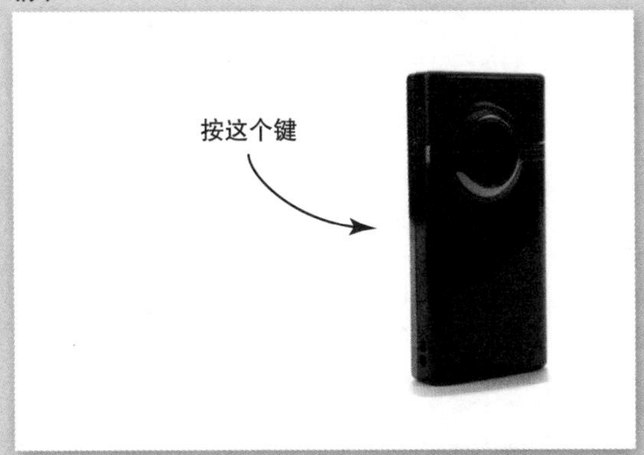

极端的可用性

看到简单体验的用户故事，你就知道了什么是简单的体验：能够适应极端条件。

要想简单，务必把目标定得高些再高些，不要使用常规的可用性目标。

常规的可用性目标	简单性的目标
特殊人群可以使用	任何人都可以使用
容易使用	毫不费力地使用
快速响应	瞬间响应
快速理解	一目了然
工作可靠	始终工作
直观的错误消息	不出错
完整的信息	恰好够用的信息
用户测试时工作	在混乱无序的环境中工作

目标中“瞬间”和“毫不费力”听起来有点夸张，因为事实上这是做不到的。然而，争取你不可能达成的目标有一个重要的好处：保持正确的方向。

如果把目标设定为“快速响应”而不是“瞬间响应”，那么哪怕把响应时间只缩短 1 秒钟，你也会满足了，认为已经作出了改变——毕竟，那也算是“快”了呀！

慢慢地，在一次次的改变之后，你会发现自己的设计不再简单，反而变得更慢、更令人讨厌。类似的妥协和让步随时都会发生在设计会议上，而这也正是为什么我们钟爱的产品会越来越令人厌恶的原因。

相反，如果你设定的目标是“瞬间”，你为此所做的改变都将是让用户体验变得越来越快。

刚才也说到了，很多开始时简单的产品到最后都变得越来越复杂，很难使用。但是，如果你设定了一个极端的目标，你的产品就能随着时间推移越变越好（至少能够实现真正重要的目标）。

瞄准极端的目标，即使是那些无法完全实现的目标，也能够帮你保持产品简单。

设计简单的体验意味着要追求极端的目标。

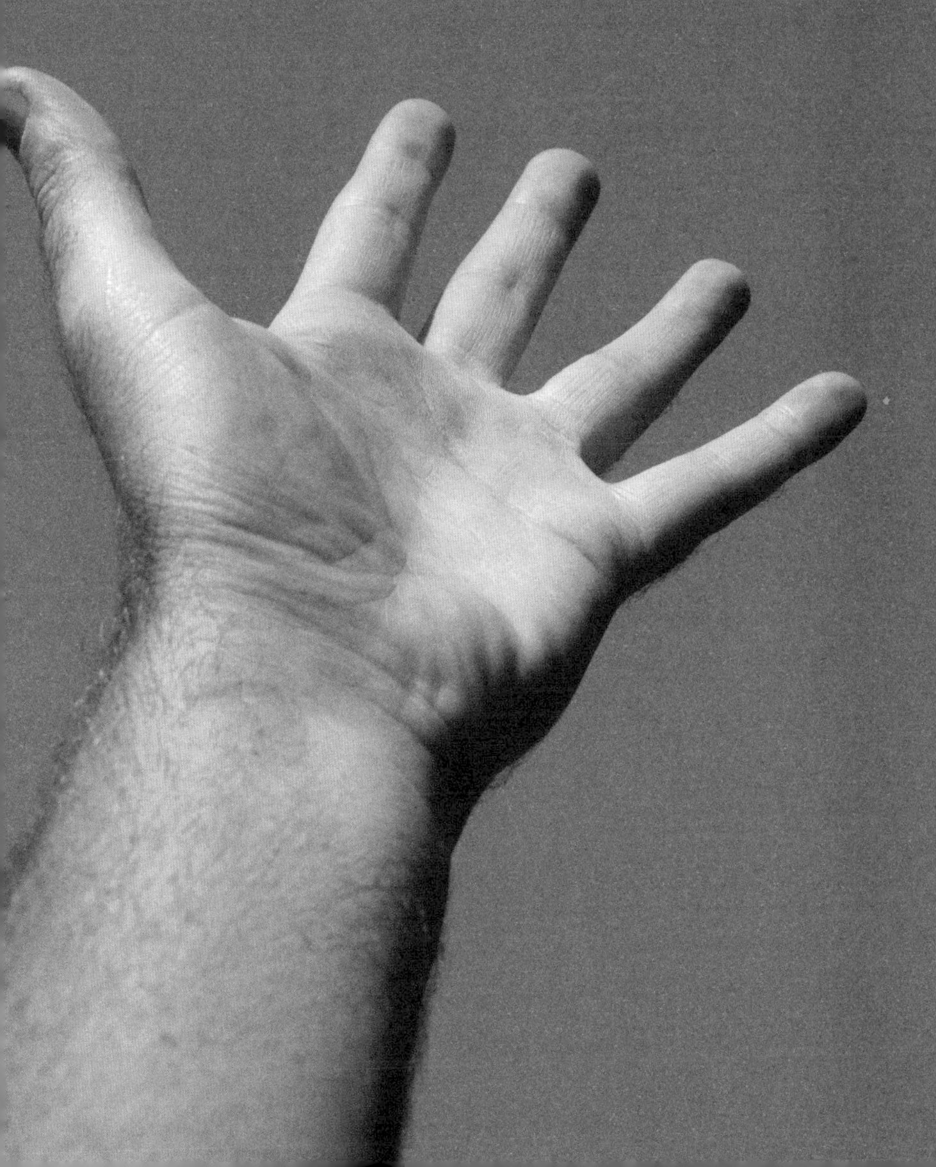

简便的方式

在思考小的改进或者做某些小东西（如一个网页）的时候，通常会产生一些灵感并上升到全新认识的高度。

我会用简单的语言把正在设计的东西描述出来。我会大声跟愿意听的所有人说出来——我觉得这样做效果很好。如果自己感觉听起来不正常，或者听众们不理解我在说什么，我就知道应该修改措辞重新来过。而且，我经常会说给一些新人听，事先不给他们任何提示。如果身边没有别人，我会把灵感记录下来，但跟别人讲述才是最佳方式，因为他们的反应会告诉我是对了还是错了。

我的目标是拿出一个简洁、清晰、完整的描述。

我甚至想只用一句简短的话来表述。如果这句话既能忽略细节而概括出主要活动，又能不让听众失去兴趣，那么就说明它已经达到了简洁的标准。

如果听众可以正确地理解，那么也就说明它足够清晰了。

我并不想罗列所有功能，只想在同一个层次上解释清楚主要功能。如果我可以概括关键点而不会遗漏重要细节，那么就应该算是完整了。

对 Flip 摄像机而言，这个描述就是“拍摄和分享视频”。对于报纸的网站主页，就是“当前最重要事件的汇总”。即使像 iPhone 那样复杂的设备，也可以将其核心组件描述出来：史蒂夫 • 乔布斯的描述就是“一个宽屏的 iPod……，革命性的手机，因特网通信设备的重大突破”。

有了描述之后，我不会四面出击，而是专注于如何用尽可能简单的方式来实现。对 Flip 来说，就是“瞬间开始拍摄，不费吹灰之力分享”。

通常，要做正确肯定得经过几轮反复，但这是值得的，因为反复可以让我关注真正重要的东西。

尽可能用最简单的词汇
描述你的想法。

洞察力

运用学到的东西构思故事，然后再据以深刻理解自己要解决的问题，接着奇迹就会发生。

并没有什么窍门。只不过在你付出足够多的时间和精力后，终于实现了毫不费力的功能，你会感觉像是变魔术一般。

- 首先，回顾一下你从用户那里收集的素材、他们面对的问题、他们生活的世界。把那些对用户行为影响最大的事情放在前面。例如，在本书前面关于汽车经销商的例子中，由于用户经常会打断经理的工作，因而他们没有整块时间坐在那专心地做营销计划。
- 然后，从你的故事中寻找突破口。在汽车经销商的例子中，打断是不可能避免的，但我们可以把任务做得尽量短，并给他们提供一个任务检查表，以便他们回到座位后马上可以想起接下来应该从哪里开始。
- 把这些设计要点按先后次序排列出来，哪一个因素影响最大？哪方面容易改变？对于汽车经销商来说，完成短任务对于成功制定出营销计划影响最大，因此优先级最高。
- 最后，验证你的见解。如果你的见解有偏差，会导致什么结果？有哪些不可控因素会影响你的看法？有没有正反面的例子可供参考？这些例子能否反映出你的看法有问题，或者例子本身就有问题（例如，没有将设计贯彻到底）？

验证你的想法意味着还要花更多时间观察现实中的人，通常可以使用原型或者竞争性产品作为辅助。只有通过验证，才能知道你的见解到底有没有价值。

花点儿时间观察和研究你的故事背后的数据。

评估你的故事并追问：
什么因素对用户的行为
影响最大？

明确认识

无论是走大路还是抄小道，你都会发现写出自己的认识比自己想象的时间要长。

“作为设计者，我们希望马上开始设计。但克制自己非常重要。” Cultured Code 的尤尔根 · 施魏策尔如是说。太早开始设计意味着会遗漏重要的见解，甚至意味着设计思路完全错误。

几年前，有汽车厂商请我帮他们设计一个选车程序。他们头脑中已经有了一个设计思路：询问客户有关生活方式和个人喜好方面的问题，根据他们的回答给出一个简短的列表，让他们从中选择。

可是，当我把这个想法说给客户听时，他们告诉我，在回答问题时他们有可能撒谎。说：“如果告诉他们我有一条狗，那我就看不到敞篷车了。” 这种让客户描述自己兴趣爱好的烦琐过程，很快会让客户厌烦。

实际上，用户对自己想要什么车都有一个大致的概念。如果你把他们带到一排汽车前面，他们会自己选出最满意的那一款来。

花点时间理解这个问题可以帮你想出更好、更简单的方案。

> 乍一看到某个问题，你会觉得很简单，其实你并没有理解其复杂性。当你把问题搞清楚之后，又会发现真的很复杂，于是你就拿出一套复杂的方案来。实际上，你的工作只做了一半，大多数人也都会到此为止……。但是，真正伟大的人还会继续向前，直至找到问题的关键和深层次原因，然后再拿出一个优雅的、堪称完美的有效方案。
>
> ——史蒂夫 · 乔布斯（摘自 Steven Levy 的 *Insanely Great: The Life and Times of Macintosh, the Computer that Changed Everything*）

正如前 Yahoo! 首席设计架构师卢克 · 弗罗布莱夫斯基（Luke Wroblewski）所说：“你的第一个设计看起来可能很像那么回事，但那通常只是对你想要解决的问题的初步定义。”

根据我的经验，任何项目的前 3 个方案大约都是对真正重要问题的描述。这段时间非常令人头疼，因为复杂性似乎与日俱增，而且脑子里也没有什么想法。坚持不懈是达成简单最重要的一步。

不要匆忙着手设计。理解核心问题需要时间。

真正伟大的人还会继续向前，直至找到问题的关键和深层次原因，然后再拿出一个优雅的、堪称完美的有效方案。

——史蒂夫·乔布斯

分享

2002 年，艾伦·科尔维尔（Alan Colville）在波士顿一家有线电视公司 Telewest 做产品经理。他的工作是升级机顶盒软件，因此他接触了这个公司所有下层干活的人，从程序员到电话支持人员。他这样说道：

> 公司里的人对新项目都没有好感，他们似乎都不喜欢改变。实际上，我们以前的软件都太复杂了，发布之后仍有很多问题，而且速度还很慢。我们应该向大家说明一下，这次跟以往不同了，这一次我们主要关注典型用户和他们的需求。关注点变了之后，我们希望能够拿出跟以前截然不同的产品来，特点就是简单、稳定、快速。

科尔维尔开始在公司里到处张贴海报，承诺该项目会让机顶盒“简单、稳定、快速”。

这三个词成了所有决定的指导原则：“这样可以让体验更简单、更稳定、更快速吗？”就是他在每一次开会时问的问题。科尔维尔回忆道：

> 我知道有效果了，有一次电话会议，一位项目经理告诉我一个被否决的想法，他说：“这个功能确实能让它更简单、更稳定，但不能更快，因此我们就把它停掉了。”
>
> **压力不见了，设计则步入了正轨。正常情况下，公司在发布新软件的时候需要花钱请客户支持人员。这一次，软件发布之后，求助电话很少。只这一项至少节省了 300 万英镑。**

与别人分享你的认识，即使你不在场也能保证作出正确的决定。而且，你的所有干系人都能说出什么是好的决定，什么是坏的决定。

让最核心的理念随处可见，提醒人们时刻谨记。随时随地使用，让它成为人们时刻不忘的追求。把它公之于众，意味着团队所有成员都知道自己应该交付什么样的功能。

找到并开始分享你的认识之后，就可以开始设计了。

跟参与项目的每一个人复述你的故事，看见他们一次就讲一次。不要停下来，要天天讲，反复讲。直到你讲得自己都厌烦了，人们才会真正领悟你的认识。

讲故事吧。

第 3 章

简约四策略

简化遥控器

我在面试设计师的时候一般都会问应聘者一个问题，他们怎么判断什么是不必要的复杂性，怎么简化这种复杂性。

有很长一段时间，我交给面试者的一个任务就是简化 DVD 遥控器，一方面因为大多数人家里都有遥控器，另一方面因为完成这个任务需要处理好几方面的问题。

通常，DVD 遥控器会有 40 多个按钮，不少甚至有 50 多个。对于只用来播放和暂停的遥控器来说，这实在有点过分了。

在某个设计非常复杂时，一定有不少地方是可以简化的。然而，这个任务却比我们想象的要困难得多。

现在试一试：你可以把你家的 DVD 遥控器拿过来，也可以参考下一页中的照片。你会发现与朋友讨论一下这个问题很有帮助，不过建议你在他们不想看 DVD 的时候再提出这个议题。

ON/OFF（开 / 关）
QUICK OSD（屏显菜单）
FL SELECT（改变 DVD 播放器的显示）
OPEN/CLOSE（开关 DVD 仓门）
ADVANCED DISC REVIEW（查看播放列表）
AV ENHANCER（调整音频和视频）
REPEAT（重复播放）
MULTI RE-MASTER（提升音频质量）
NUMERIC KEYPAD（数字键盘）
DEPTH ENHANCER（降低画面噪点）
MANUAL SKIP（快进 30 秒）
QUICK REPLAY（快退几秒）
CANCEL（取消）
SKIP FORWARD（快进）
SKIP BACK（快退）
SLOW FORWARD（慢进）
SLOW BACK（慢退）
STOP（停止）
PAUSE（暂停）
PLAY（播放）
DIRECT NAVIGATOR/TOP MENU（主菜单）
PLAY LIST/MENU（显示光盘菜单或播放列表）
FUNCTIONS（切换屏幕菜单）
RETURN（返回）
UP ARROW（向上）
DOWN ARROW（向下）
LEFT ARROW（向左）
RIGHT ARROW（向右）
ENTER（确认）
SUBTITLE（字幕）
AUDIO（切换音轨）
ANGLE/PAGE（切换角度 / 静止画面）
SETUP（快速设置按钮）
PLAY MODE（全部 / 分组 / 随机播放）
PLAY SPEED（切换播放速度）
ZOOM（缩放）
GROUP（选择要播放的组）

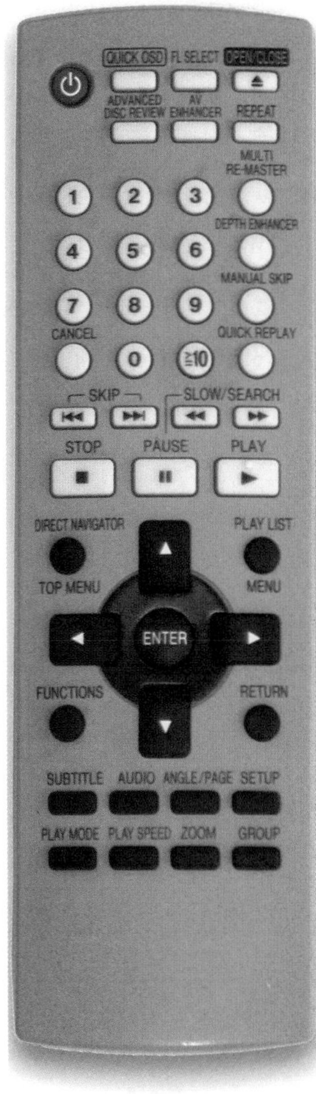

遥控器

你可以使用对面页中的模板来设计遥控器。每个按钮的功能与我的 DVD 使用说明书中的相同，有些按钮有附加说明。你们中的大多数应该只能看到遥控器上的按钮，没有说明。

有时候，解决一个问题会引出其他问题来。你可以设想几个必须使用遥控器的情景，以及哪种情况下感觉简单，哪种情况下感觉复杂。不要只抓住第一个方案不放。多画三四个草图总要强过一条道跑到黑。想出几个方案后，就可以从中选择一个最满意的，然后把它从头到尾设计好。

我已经收集了不少人的设计方案。如果你想参考一下，或者想提交自己的设计，可以访问 simpleandusable.com。

ON/OFF（开 / 关）
QUICK OSD（屏显菜单）
FL SELECT（改变 DVD 播放器的显示）
OPEN/CLOSE（开关 DVD 仓门）
ADVANCED DISC REVIEW（查看播放列表）
AV ENHANCER（调整音频和视频）
REPEAT（重复播放）
MULTI RE-MASTER（提升音频质量）
NUMERIC KEYPAD（数字键盘）
DEPTH ENHANCER（降低画面噪点）
MANUAL SKIP（快进 30 秒）
QUICK REPLAY（快退几秒）
CANCEL（取消）
SKIP FORWARD（快进）
SKIP BACK（快退）
SLOW FORWARD（慢进）
SLOW BACK（慢退）
STOP（停止）
PAUSE（暂停）
PLAY（播放）
DIRECT NAVIGATOR/TOP MENU（主菜单）
PLAY LIST/MENU（显示光盘菜单或播放列表）
FUNCTIONS（切换屏幕菜单）
RETURN（返回）
UP ARROW（向上）
DOWN ARROW（向下）
LEFT ARROW（向左）
RIGHT ARROW（向右）
ENTER（确认）
SUBTITLE（字幕）
AUDIO（切换音轨）
ANGLE/PAGE（切换角度 / 静止画面）
SETUP（快速设置按钮）
PLAY MODE（全部 / 分组 / 随机播放）
PLAY SPEED（切换播放速度）
ZOOM（缩放）
GROUP（选择要播放的组）

四个策略

几年来，我见过很多为简化 DVD 遥控器而设计的方案，我把这些方案分成四大类。

- 删除——去掉所有不必要的按钮，直至减到不能再减。
- 组织——按照有意义的标准将按钮划分成组。
- 隐藏——把那些不是最重要的按钮安排在活动仓盖之下，避免分散用户注意力。
- 转移——只在遥控器上保留具备最基本功能的按钮，将其他控制转移到电视屏幕上的菜单里，从而将复杂性从遥控器转移到电视。

有些人的设计与这几个类别都沾边，但通常会倾向于其中一种策略。有些人会想到加入新的技术，例如在遥控器上设计一块触摸屏，或者为电视加装手势识别模块。不管怎样，只是形式不同而已，本质上仍然是删除、组织、隐藏和转移。

我经常思考如何简化其他设备和体验，上述这四个策略也时不时地能够得到应用。这几个策略适用于简化功能，也适用于简化内容。而且，无论项目大小——是整个网站，还是其中一个页面，这四个策略都同样适用。

每个策略都有其优点和不足，接下来几章将深入讨论。针对手上要解决的问题，从中选择正确的策略，是取得成功非常重要的一环。

删除

1
2
3
4
5
6
7
8
9
CANCEL
0
≥10
SKIP
SLOW/SEARCH
STOP
PAUSE
PLAY
PLAY LIST
MENU
DIRECT NAVIGATOR
TOP MENU
ENTER
FUNCTIONS
RETURN

组织

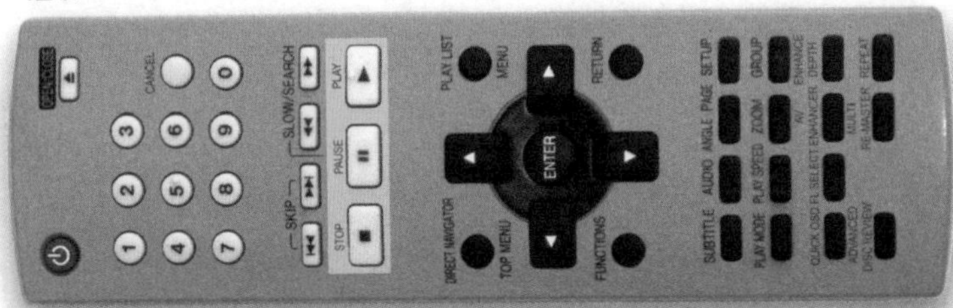
CANCEL
1
2
3
4
5
6
7
8
9
0
SKIP
SLOW/SEARCH
STOP
PAUSE
PLAY
PLAY LIST
MENU
DIRECT NAVIGATOR
TOP MENU
ENTER
FUNCTIONS
RETURN
SUBTITLE
AUDIO
ANGLE PAGE
SETUP
PLAY MODE
PLAY SPEED
ZOOM
GROUP
QUICK OSD
FL SELECT
A/V ENHANCER
ENHANCE DEPTH
ADVANCED DISC REVIEW
MULTI RE-MASTER
REPEAT

隐藏

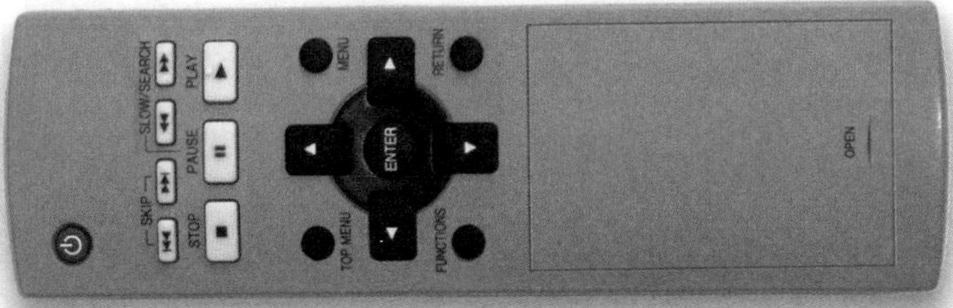
SKIP
SLOW/SEARCH
STOP
PAUSE
PLAY
MENU
TOP MENU
ENTER
FUNCTIONS
RETURN
OPEN

转移

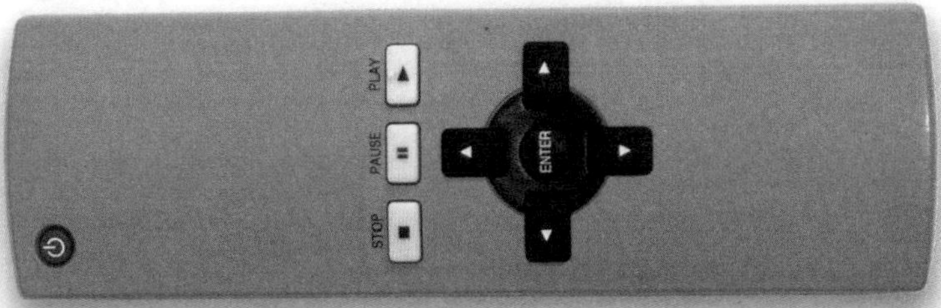
STOP
PAUSE
PLAY
ENTER

第 4 章

删　　除

删除

美国专门从事跟踪 IT 项目成功或失败的权威机构 Standish Group 在 2002 年发表了一份研究报告，称 64% 的软件功能“从未使用或极少使用”。看看你的 DVD 遥控器，数一数有多少个按钮你从来都没有碰过。同样的结论也适用于几乎任何小玩意或你能叫得上名字来的软件。通过删除来简化设计可以说屡试不爽。

删除或省略功能可以创造出成功的产品。

- Tumblr 的博客服务只有 WordPress 或 Blogger 等站点的一部分功能，但在开通 3 年后，博客日发表量超过了 200 万份。
- 莲花爱丽斯（Elise）最开始的定位是一款返璞归真的跑车，没有空调系统，一年只生产 800 部。15 年之后，这款车仍然在生产，而且已经卖出了几万部。
- iPhone 刚刚发布的时候，与诺基亚和 RIM（黑莓手机制造商）的同类手机相比只有很少的功能，但却引起了轰动。
- Basecamp 是由 37Signals 开发的一个项目管理平台，只有 Microsoft SharePoint 功能的几分之一，但《商业周刊》对它的描述却是“好用得让人着迷”，在全世界拥有数百万用户。

传统的观点认为，功能越多，能力就越强，产品的用途也就越广。但是，刚才说的这些例子更注重功能的深度，而不是广度。它们广受好评是因为它们做的事情虽少，但却比竞争产品做得更好。

传统的观点认为，功能多的产品会打败功能少的产品。但是，这些例子无一不是与全功能产品对抗，最终取得胜利的典范。

删除杂乱的特性可以让设计师专注于把有限的重要问题解决好。而且，也有助于用户心无旁骛地完成自己的目标。

理解最基本的功能通常很容易：DVD 遥控器需要一个播放按钮和一个停止按钮。但问题来自一些可能有价值的功能。因此，在通过删除来简化设计时，请准备一张白纸，问自己：“最重要的问题是什么？”然后，渐进地添加最重要的功能和内容。

简化设计最明显的方式
就是删除不必要的功能。

避免错删

删除功能时要避免错删，而把一切难于实现的功能统统抹杀就是典型的错误做法。

几年前，我开发过一个意在帮助人们增强节电意识的网站。核心思想就是让人们能够在线跟踪自己的用电量，让他们知道自己习惯的微小变化会节省可观的电力。

在进入设计阶段时，项目经理认为这个功能太难实现。于是决定放弃，改为发表一些有关节电的文章。站点上线后，表面上看内容十分充实，但实际上却没有任何吸引力和原创性。最终，根本没有打动目标用户。

这其实是一个常见的模式。交工日期迫近，预算资金紧张，都可能导致功能被砍掉。设计团队经常会以提供尽可能多的功能为目标。那些耗时而又不容易实现的功能通常会被砍掉。如果有人强烈反对，得到的答复一般是他们的功能会在“第二阶段”或“第三阶段”实现。

结果呢，无非就是得到一个由简单的功能叠加起来的毫无特色的产品，与市面上现有的平庸货别无二致。

这种做法会导致项目发散没有灵魂，但它却是删除功能和内容的一种通行做法，比我见到的任何其他做法都要多。

删除功能和内容是谁也无法避免的。每个团队的资源都是有限的，而我所遇到的任何一个设计项目都面临过需要削减功能和内容的情形。有时候是因为产品经过多年发展，功能实在太过庞杂；有时候则是一个全新的设计，但实在需要清理。

不要等着别人不分青红皂白地、无情地删除最有意思的功能。要总揽全局，保证只交付那些真正有价值的功能和内容。

砍掉功能有时候是一个
血腥无情的过程。

关注核心

增加价值始于改进核心体验。

在有线电视运营商Telewest公司的时候，艾伦·科尔维尔接到一个设计任务，设计一个集成PVR（Personal Video Recorder，个人视频录像机）的机顶盒。

在资源有限的情况下，Telewest不可能提供所有功能，但这家公司却对该删除哪些功能没有概念。结果，艾伦就利用竞争对手的产品来做用户测试，想看一看客户最关心哪些功能。

令人惊讶的是，他发现客户最担心的是录制问题。如果他们想录两个节目，就不能看第三个。人们抱怨说，他们经常只能把两个节目重合在一起来录，而且还无法换台。

要想解决这个问题，必须在机顶盒里多加一个高频头，这是一个大的设计变更。但是，艾伦的研究表明，客户在这一点上的挫折感，要远远大于他们对另外两个新增功能的兴趣："红按钮"应用和与TV服务交互这两个新增功能虽然有资金支持，但却没有相应的用户需求。

研究结论让董事会改变了计划，把他们的资源配置到了增加高频头上面。结果，这个新增功能很快转变成了市场竞争优势，*Which?* 杂志（可称得上是英国的"*Consumer Reports*"[①]）指出这个灵活性是该机顶盒的主要优点。

在按照优先级对功能排序时，要时刻记住用户认为那些关系到他们日常使用体验的功能最有价值。以此为起点，可以开始编写你的用户故事。对于PVR而言，能录制和观看电视关系到用户的日常体验，因而是最为重要的功能。

另外，能够消除他们挫折感的功能同样也会受到欢迎。在描绘用户故事时，别忘了寻找常见的挫折和难题。解决这些问题的功能的优先级次之。对于PVR来说，能够同时收看和录制几个电视节目确实是比较重要的。

①《消费者报告》，是美国著名的消费者权益杂志。——译者注

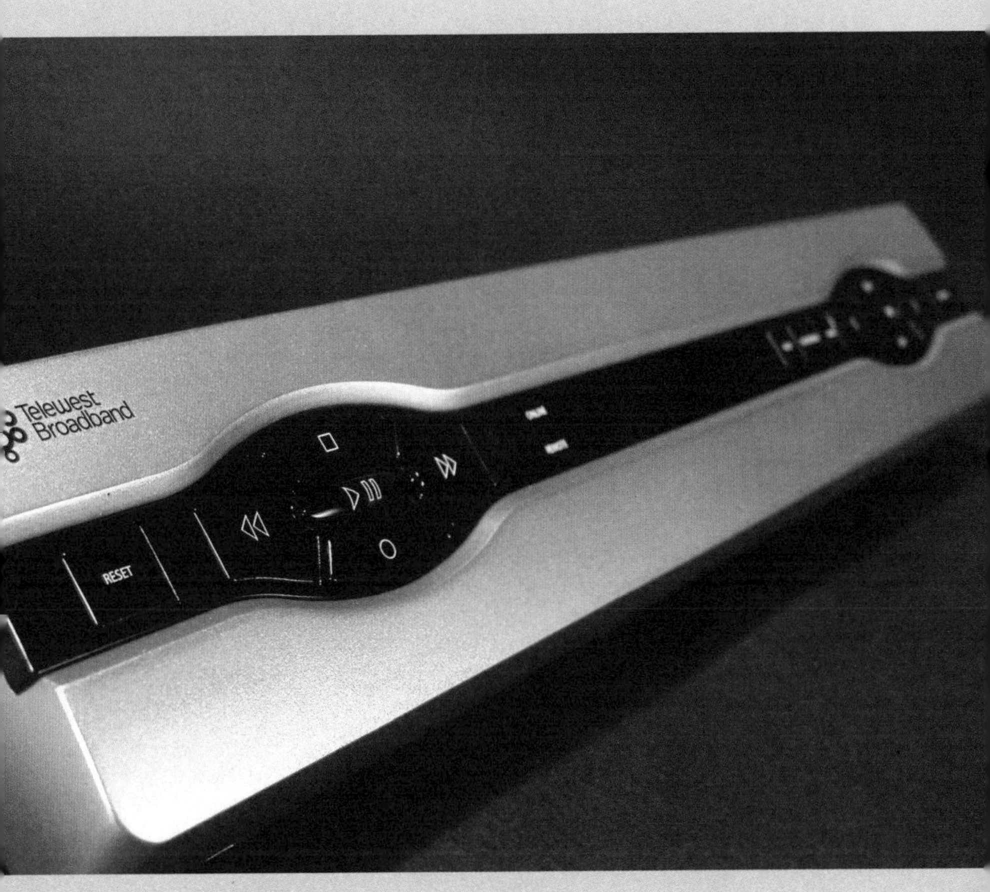

与新增功能相比，客户
更关注基本功能的改进。

砍掉残缺功能

删掉实现得不够理想的功能也是很重要的。途易滑雪（TUI Ski）在线主管大卫·贾维斯（David Jarvis）记得，在他负责的网站中，有一个网站具有让用户筛选搜索结果然后创建短列表的功能。他说：

> 这两个功能实现得都不是特别好。虽然筛选和短列表都是我们认为应该具备的功能，虽然这两项功能在某种程度上是勉强能用的，但是我们觉得是在给用户提供半生不熟的体验。我们就把这两个功能从英国的站点上拿掉了，结果转换率反而上升了。

有人可能会说，删除不完整的功能或内容会导致已经付出的时间和努力白白地浪费。一样东西，不管它有多么差，只要是花钱买的，没有谁愿意把它白白地扔掉。用杰克·莫菲特（Jack Moffett）的话说："坏的可以修好，次品永远存在。"

经济学上把这种现象称为"沉没成本误区"。事实上，用于创建这部分功能的成本是不可能收回来的，因此判定这种功能的唯一方式就是看它能够发挥几分作用，看保留它会额外导致多少成本。

功能和内容会给用户造成精神上的负担（"我到底有没有考虑到这一点？"），会导致一定的维护开支（总要有人保证内容与时俱进，功能持续有效）。

所以说，问题绝非"为什么应该去掉它"，而是"为什么要留着它"。

以"去掉它们是一种浪费"作为理由而抓住残缺的功能不放，可能会妨碍你成功。

人们都舍不得扔东西，
即使它已经破烂不堪。

假如用户……

要是你有幸经历过委员会主导的设计，那么肯定知道没有一项功能可以被确定为是不必要的。

一开始，你还有要删除一些功能的想法，但找出一个，他们就会说："可是，假如用户想……"围坐在会议桌旁，很容易想象出来，没错，用户确实有可能使用这个功能。结果，这个功能就会被保留下来。等评审到最后几项待删功能时，你很可能又添加了几项。

"假如用户想……"意味着任何待删功能都可以安然无恙地回到产品中。如果所有功能都必须通过"假如……"测试，那你制定删除计划花费的心思也就只能无端地打水漂了。就像是一个要远行的人，"假如……"会让你把所有可能用到的东西统统塞进旅行包里，最终你会不堪重负。

如果你的意思是"假如我们这样来解决问题呢？"那么"假如"还算用得适得其所。想出解决问题的新办法，同样可以让用户的日子更好过一些。

如果你想的只是怎么制造新问题或者猜测用户最看重什么，那么"假如"的价值就不大了。"假如用户想……"只会刺激人们求全的心理，担心自己漏掉了什么需求。为了寄托这份担忧，就要有人付出时间、精力和金钱增加新功能了。

这种无端的担忧，导致了设计会议上那些强烈反对意见。

如果你发现自己（或别人）说："假如用户需要……"那么只有一个答案：搞清楚这个功能对用户是否真的重要。问一问："我的目标用户经常会遇到这个问题吗？"如果回答是"几乎没有遇到过"，那么，请放弃这个想法，继续前进。

不要再"假如"了，还是去发现问题吧。

不要猜测用户可能会
或者可能不会怎么样。

但我们的用户想要

Cultured Code 的尤尔根 • 施魏策尔告诫我们，不要简单地因为客户要求就增加功能：

> 客户向我们提出了很多功能要求，但他们从来不知道如果想到一个点子就直接放到产品中，很可能导致产品失败。在功能过多的情况下，可能就会拿掉一些重要功能。因此我们对添加新功能始终持保留态度。
>
> 我们的做法是对用户的要求做逆向工程——搞清楚用户到底遇到了什么问题，仔细斟酌这个问题是不是应该由我们的软件来解决。

功能多了之后，通常会导致在其他某些方面作出一些牺牲，而客户则不会考虑这方面的问题。比如说，让应用在手机的后台运行听起来不错，可是这样也许会迅速消耗电池，而且要想找到其中一个应用来手工停止它也不是件容易的事。

增加功能不一定会让用户体验更简单，反而经常会导致更多的迷惑。

很多情况下，你都有可能拿出一个能够满足用户真正需求的替代方案（例如让他们在应用之间快速切换）。但是，不要害怕对增加产品功能的要求说不。

my STARBUCKS IDEA

GOT AN IDEA? VIEW IDEAS IDEAS IN ACTION FAQ

Hi there, Sign In to make a comment.

Share
Follow us on twitter

Ideas so far

Search Ideas

PRODUCT IDEAS

22,093 Coffee & Espresso Drinks
875 Frappuccino® Beverages
6,818 Tea & Other Drinks
9,931 Food
4,648 Merchandise & Music
6,421 Starbucks Card
6,814 Other Product Ideas

EXPERIENCE IDEAS

5,423 Ordering, Payment, & Pick-Up
9,326 Atmosphere & Locations
7,801 Other Experience Ideas

INVOLVEMENT IDEAS

3,002 Building Community
6,278 Social Responsibility
4,283 Other Involvement Ideas
374 Outside USA

QUESTION OF THE DAY

What's your "My Starbucks Rewards" level?

more info

- Welcome
- Green
- Gold
- Not a Member

Submit

Leaderboard

1. tkfoss | 656 Comments
2. christam | 236 Comments
3. DanMark | 212 Comments
4. betterbefore | 170 Comments
5. Stevez | 159 Comments
6. pechipy1 | 157 Comments
7. AgentDesmond | 151 Comments
8. yogagirl | 147 Comments
9. thewhiterabbit | 140 Comments
10. Barista_Marie | 112 Comments

SHARE.
VOTE.
DISCUSS.
SEE.

You know better than anyone else what you want from Starbucks. So tell us. What's your Starbucks Idea? Revolutionary or simple – we want to hear it. Share your ideas, tell us what you think of other people's ideas and join the discussion. We're here, and we're ready to make ideas happen. Let's get started.

Most Recent Ideas

51 Min(s) Ago DIET FRAPPUCCINO
2 Hour(s) Ago Those Extra Shots Fresh idea
8 Hour(s) Ago It's a WIN-WIN!
9 Hour(s) Ago Give Target and Kroger (etc) Starbucks Baristas Partner Numbers!
9 Hour(s) Ago Sell Highly Concentrated Chai in Stores!
10 Hour(s) Ago Bring back blackberry flavoring for the green tea frappucinos!
10 Hour(s) Ago Self service drip coffee in the mornings
10 Hour(s) Ago Pike still sucks
11 Hour(s) Ago Peanutbutter Mocha Frappuccino
11 Hour(s) Ago Starbucks Dietitian

Featured Starbucks Idea Partners

These are our Starbucks Idea Partners. They'll be online to listen to your ideas, ask questions, tell you what we're doing behind the scenes and make sure things run smoothly.

sbx_jcar Jeff works with the Starbucks Card Mobile app. He loves MSI because it gives Starbucks a way to amplify the voices of our customers and partners while identifying business needs. : Estate Java (he's also quite partial to the new soy Coffee Light Frappuccinos)

sbx_nat Natalie manages the My Starbucks Rewards program from a technology perspective. She is currently working on bridging the current 'gap' we have with Licensed Stores. You can follow sbx_nat on Twitter: @starbuckscard : free syrups and free drinks

Ideas in Action

All the ideas below came from you, our customers. Click on each one to find out more.

SELL JAMAICAN BLUE MOUNTAIN COFFEE IN THE STORES
Fresh Fruit
separate brewed coffee line/card swiping
Flavored coffee
Stars per DRINK, not per transaction!
Carry in a coupon for a free drink??? Are you kidding me?
"Bank" Free Drink when Buying a LB of Coffee
Better blenders=less ice chunks
Bring Back the After 2 Program
Use Fake Breakfast Sandwich Displays

要倾听客户的意见，
但决不能盲从。

方案，不是流程

有一次，我为一家在线银行工作，银行的储蓄部经理要求我添加一项功能，要允许客户把他们的存款账户分为可以命名的“存钱罐”（如“节日”、“燃气”，等等）。这样，通过明确存款的目的，可以让客户更加积极踊跃地储蓄。

在开始设计存款流程的时候，事情一下就变得复杂起来。比如说，客户在往账户中存钱时，他得先存上钱，然后再把这笔钱划到某个“罐”里——原来的一步变成了两步。如果有人在存款时不知道系统支持“存钱罐”功能，那么存入的钱必须保存到账户中的“日常存钱罐”中。

在从账户中转账的时候，问题就变得更加复杂了。用户必须要选择从哪个“罐”里提钱。如果客户从某个“罐”中提的钱太多，即使其他“罐”里还有钱，也可能会被拒付。

这种功能——导致一大堆非正常操作和细节的功能——永远是我长鸣的警钟。

后来我们认识到，允许客户命名他们的存款账户就能达到命名“存钱罐”的效果。如果客户想换一个“存钱罐”，只要再开一个新户就行了。甚至可以从一开始就给他们两到三个账号，并建议他们为这些账号分别起不同的名字。从实现、解释和支持“存钱罐”的投入来看，还是让客户命名账户来得更快捷、更节省成本。关键是客户更好理解。

如果在设计的时候只盯住流程，那么结果很可能会创造更多的功能去处理出现的各种异常情况、问题和细节。要想避免这些复杂性，退一步想，把注意力集中到客户的目的上面，问自己“还有其他的解决方式吗？”

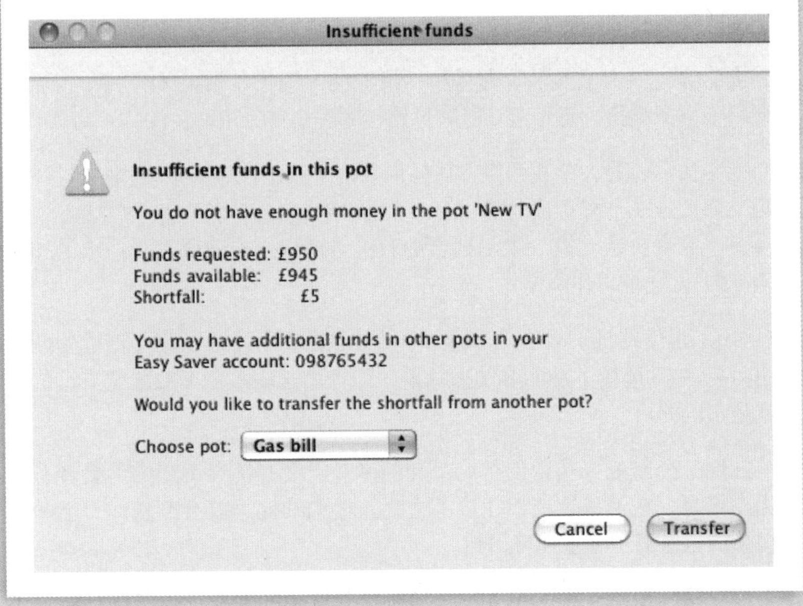

如果一个小的变化导致了复杂的流程，就应该退一步去寻找更好的解决方案。

如果功能不是必要的

在想要设计一款引人注意的产品时，删除功能表面上看会冒一定的风险，但是却能获得长期的收益。

2006 年，罗兰 · T. 若斯特、戴博拉 · 维亚纳 · 汤普森和丽贝卡 · W. 汉密尔顿组织了一项实验，想知道功能和可用性哪一个更受用户关注。

他们把参加实验的人分成两组，让他们从两个数码视频播放器中挑选一个。这两个播放器一个有 7 项功能，另一个有 21 项功能。第一组测试者只能通过观察产品来决定。第二组测试者则有机会试用（随便试用功能多的还是功能少的），之后再作决定。

“未试用”组中的测试者有 2/3 选择了功能多的型号。而试用了产品的测试者中只有 44% 选择了功能多的播放器。而且，这些人也不敢断定自己的选择就是正确的。

最后，这三个研究人员得出结论：功能多对于没有机会试用的消费者有吸引力。但是，在消费者使用了产品之后，他们的偏好就会改变。一下子从重视功能，变成了更重视可用性。

今天，口碑、用户评论、个人推荐以及产品试用的重要性已经远远超过了大众媒体广告。消费者在选择产品之前，都要听一听用户的意见，他们是已经对产品的可用性有了了解的人。因此，痛下决心，砍掉不必要的功能，要强过无意义地堆砌功能。

你设计的产品如果承载过多的功能，更有可能降低主流用户的满意度，从而对产品的长期盈利能力造成损害。

长远来看，
增加功能有害无益。

真有影响吗

某项功能一旦发布，就一定会有人在某个地方使用它。如果用户喜欢它，就会改变自己的行为来适应这项功能。当用户离不开这项功能时，你再把它砍掉，即使是一个很不起眼的变化，都会激怒用户。

不过，有的依赖性还是比较容易消除的。对用户来说，真正重要的是什么？是你的设计能不能解决他的大问题。如果能，那么他就会顺从你，即使你的改变会让他不舒服。

判断删除功能对用户的影响有多大可是一件需要技巧的事。简单地去询问用户“你愿意我们删除这个功能吗？”答案只能有一个：“不！”谁也不愿意拿走什么。即使从未使用过的功能，用户也不是肯放弃的。功能这个词要比其实际的用途更吸引人。

为此，最开始应该考虑的，是哪项功能最接近用户的核心需求。

如果想设计一个供销售人员用来管理自己潜在用户的手机应用，那么去掉更换背景的功能就不会有什么影响，因为更换背景并非核心任务。

不过，要是想去掉的功能与应用的核心功能沾边，那么事情就没有那么简单了。

要知道人们真正关心什么，探知他们对删掉某个功能后的产品有什么意见，最好的方法就是先做个模型出来让他们试用。

想在任何时候取悦所有用户是不可能的。因此，我们只能退而求其次，专注于目标客户的核心任务，只要让他们高兴、让他们满意就行了。

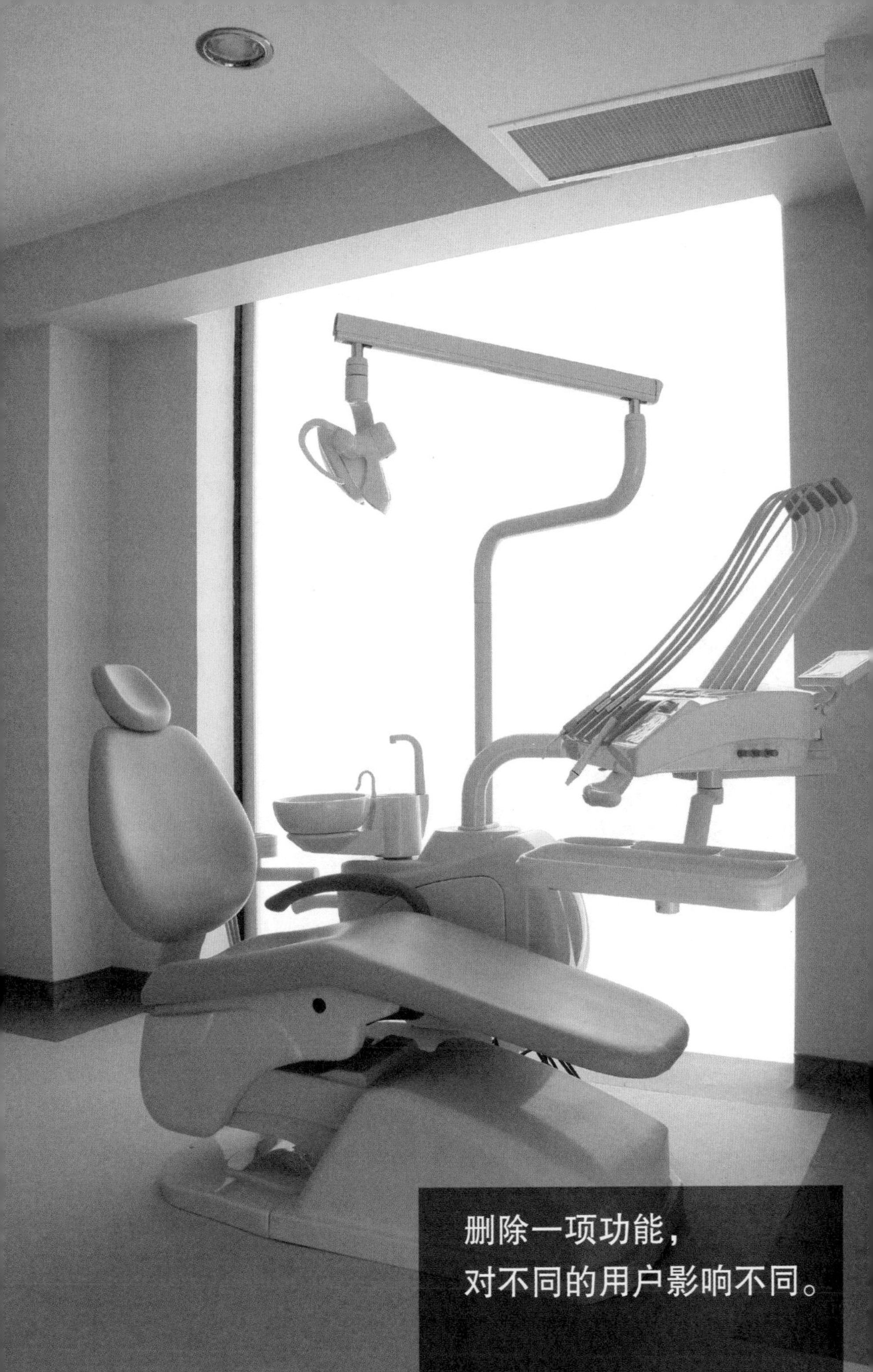
删除一项功能，
对不同的用户影响不同。

排定功能优先级

在确定什么功能该保留，什么功能该删除的时候，遵循如下原则。

- 确定用户想要达到的目的，并排定优先次序。对于 DVD 遥控器而言，主要目的是看 DVD，其次是使用 DVD 的附加功能，还有一个不那么重要的目的是播放其他媒体，如音乐 CD、MP3，等等。
- 专注于寻找能够完全满足优先级最高的用户需求的解决方案。找到之后再考虑满足用户的其他目标。
- 确定用户在使用产品过程中最常见的干扰源，并将解决这些问题的功能按难易程度排出优先次序。例如，看电视的时候突然来电话就是一个干扰。而 DVD 遥控器上的暂停按键就是把这种干扰降至最低程度的一个解决方案。
- 要知道能够满足主流用户的“足够好”的遥控器与只有专家才看得上眼的“精准的”遥控器有什么区别。例如，本书给出的 DVD 遥控器有 4 个直接控制快进的按钮。而绝大多数情况下，只提供两个按钮（快进和跳到曲目末尾）足矣。

最后，不要以功能的多寡来认定产品的价值，应该看产品能否满足用户最高优先级的目标。

给那些轻易就能够满足主流用户需求的功能排定优先次序。

负担

人在处理信息、学习规程和记忆细节方面的能力是有限的。现实中，人所面临的中断干扰和最后期限压力是无法在测试实验室中模拟的，这些都进一步限制了人的能力。

界面中的各种小细节会增加用户的负担，会像公路上的减速带或坑坑洼洼一样降低用户的效率。

合作银行（Co-operative Bank）曾邀请我的商业伙伴理查德·凯迪克（Richard Caddick）帮他们提高网站主页的点击量。为此，他就从减少网站访客的负担着手，做了以下工作。

- 删除没人会看的文字，比如银行名称下面的口号。
- 简化布局，删除页面右侧的垂直边栏，让人容易分清哪些内容重要，哪些内容不重要。
- 去掉重复的链接，例如“告诉我……”之类的下拉菜单，把可点击项的数量减少了 20%。
- 精简按钮和链接的样式，让人容易区分哪些可以点击，哪些不能点击。
- 减少广告位和广告数量，让目标明确的客户不致被这些内容干扰分心。
- 去掉分散注意力的元素，如分隔内容的线和横在页面上的黄色背景条，从而减少了视觉上的干扰。

这个小项目没用几周时间就完成了，但主页的点击量却因此明显提高，进而增加了填写申请表单的人数。

去掉那些可有可无的选项、内容和分散人们注意力的玩艺儿，可以减轻用户的负担，让用户专心去做自己想做的事。去掉分散注意力的视觉元素，可以让用户感觉速度更快，而且更加有安全感。可以说，细节决定成败。

精简前

The co-operative bank
good with money
Home | Contact us | Text size A A A
Bank
Insurance
Investments
Business
Corporate
good with money
Banking log in
Your account
Personal banking log in
Car insurance
Up to 10% discount
online only
Latest...
Saving...
Banking...
Customer services...
30 day free trial
15% discount on home insurance online
The co-operative membership
Join us

精简后

The co-operative bank
Bank
Insurance
Investments
good with money
Banking login
Fixed Term Deposit
A safe investment with
guaranteed fixed returns
Privilege current account
Clear credit card
12.9% APR
Green mortgages
All our products
How can we help?
You may like to know...

决策

我们通常会为用户提供尽可能多的选择。但选择过多很容易让用户无所适从。

2000 年，希娜 · S. 艾杨格博士和马克 · R. 莱珀博士在加利福尼亚门洛帕克的德尔格市场上摆了一个货摊。每天有几百人从摊位前经过。一个周末，他们在货摊上摆出了 24 种不同口味的果酱；另一个周末，他们只摆出了 6 种。结果证明，提供的选择多了，销售业绩反而更差。只有 2% 的过路人会买果酱。而在选择较少的情况下，购买果酱的比例增加到了 12%。

艾杨格和莱珀又用其他不同的东西重复了类似的实验。他们发现，在为用户提供少量选择的情况下，用户购买的可能性要大于为他们提供大量选择的情况。

而且，他们还发现在选择少的情况下，用户购买之后的满意度要高于选择多的情况。

给用户提供选择会让人感觉自己在把控着局面，而在某些情况下人们更愿意少一些选择。如果选择超过了一定的界限，特别是在很多选择都相似的情况下，选择反而变成了负担。

从人们对待技术的态度上，也可以发现类似的倾向。在面对无数的选项和按钮时，人们一般都会感觉不知所措。拿到一个复杂的小玩意之后，他们会因为看不懂、玩不转而心烦意乱，乱中反而更容易出错。太多选择容易让人反感。

下次，当你再看到长长的功能列表、满是链接的页面或者充斥着数不清选项的计算机菜单时，应该想到这些都是容易导致设计失败的因素。

选择有限，
用户反而更欢喜。

分心

用户界面，尤其是网页上面，到处都是让人分心的东西。这些讨厌的细节会让哪怕阅读文章这么简单的事都变成一场噩梦。

文章中的超链接表面上能够提供额外的补充信息，但是每个链接都在说"先停一停吧，看看这链接后面有什么？"这无疑会打断用户的思维，转移用户的注意力。研究人员朱尔平（Erping Zhu）发现，增加文档中的超链接会降低读者的理解力——即使读者不会打开链接也一样。

网页的右边栏经常会出现更多分散注意力的链接。这些链接花里胡哨，很容易把用户的注意力从页面的焦点区引开。

用户当然可以点击这些链接，但如果点击这些链接会导致用户迷乱、倦怠或焦急，那么这些链接就失去了它应有的价值了。

问题已经很严重了，苹果 Safari 浏览器专门为此推出了一项功能，能够"将在线文章的干扰因素一扫而空。只需点击阅读器按钮，文章将立刻连贯地显示出来，……让你专心阅读"。

放置这些链接最好的地方是页面底部，当用户看到它们时，已经把文章看完了。如果用户没有把滚动条向下拉那么远，只能说明文章本身不吸引人。

如果想设计简单的用户体验，就该牢记删除那些干扰因素，让用户注意力保持集中。

之前

Proving It: Wind-Powered Cart Goes Faster Than the Wind | Autopia | Wired.com
http://www.wired.com/autopia/2010/07/its-settled-downwind-faster-than-the-wind-officially
THE INSIDE MAN
Subscribe & get a WEEKENDER BAG FREE!
WIRED
SUBSCRIBE » SECTIONS » BLOGS » REVIEWS » VIDEO » HOW-TOS » MAGAZINE »
WIRED ON THE IPAD »
AUTOPIA
ROAD TO THE FUTURE
PREVIOUS POST
NEXT POST
Proving It: Wind-Powered Cart Goes Faster Than the Wind
Get the entire AUGUST Issue featuring Angelina now, on iPad, iPhone & iPod Touch!
NEW APP!
Now on iPad!
VANITY FAIR
CLICK HERE
twitter
BEEP BEEP
Follow Autopia on Twitter »
Subscribe & get a Weekender Bag FREE!
FREE GIFT!
Subscribe to WIRED
Renew
Give a Gift
International Orders
EDITORIAL TEAM
Editor: Chuck Squatriglia | E-mail
Contributor: Keith Barry | E-mail| Twitter
Contributor: Jason Paur | E-mail Twitter
Contributor: Jason Kambitsis | E-mail| Twitter
Contributor: Damyl Siry | E-mail| Twitter
Send us a tip
MOST RECENT ENTRIES
The results are in and a new record has been set in a new category after a wind-powered vehicle officially traveled downwind faster than the wind.
Naysayers said it couldn't be done, but Rick Cavallaro and the crew at fasterthanthewind.org proved it could be by actually doing it. They made the record runs during the July 4th weekend at El Mirage, California. The North American Land Sailing Association made it official Tuesday when it ratified the

之后

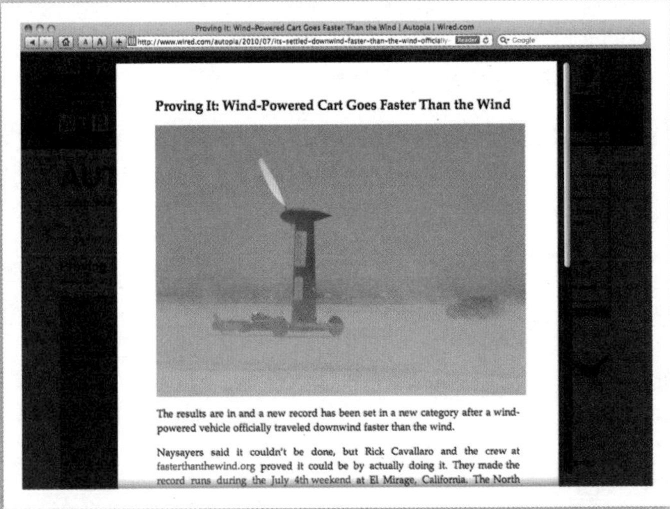

Proving It: Wind-Powered Cart Goes Faster Than the Wind | Autopia | Wired.com
http://www.wired.com/autopia/2010/07/its-settled-downwind-faster-than-the-wind-officially
Proving It: Wind-Powered Cart Goes Faster Than the Wind
The results are in and a new record has been set in a new category after a wind-powered vehicle officially traveled downwind faster than the wind.
Naysayers said it couldn't be done, but Rick Cavallaro and the crew at fasterthanthewind.org proved it could be by actually doing it. They made the record runs during the July 4th weekend at El Mirage, California. The North

聪明的默认值

选择聪明的默认值可以减少用户的选择。

很多汽车制造商的网站都有让客户比较类似车型的功能。单击“比较”，系统会提示你向比较表中添加两三个其他车型。雷克萨斯欧洲的网站没有这样做。他们会在表中预先放上你搜索的和与之接近的两种车型。通常，系统选择的车型恰好也是你希望比较的。

有的人可能会修改默认选择的车型，但提供默认值总比提供一张空表要好。无论如何，雷克萨斯的做法可以节省客户的时间。

聪明的默认值指的是适合大多数人口味的选择。通过分析客户信息（如日志文件），可以找到很多选择默认值的依据。

- 热门文档（“头条新闻”）
- 类似项（“浏览过这个产品的用户还看过……”）
- 个性化信息（“使用你的地址自动填写表单”）
- 共同的选择（把“中国”放在国家列表的最前面，如果你的大多数客户都来自中国国内的话）

还应该记住一点，当一个客户再次光顾网站或应用，他通常愿意以前次离开的状态作为起点。

- 最近保存的文档（“打开‘欢迎您 .doc’”）
- 恢复状态（“继续从游戏的第三关开始玩起”）

许多使用旅游类网站的用户都抱怨，他们每次访问同一个网站都要重新输入一遍相同的信息。但记住这些客户过去的旅游路线、乘坐的航班以及下榻的酒店真的很困难吗？

默认值是节省用户时间和精力的有效方式，也是清除设计蓝图中“减速带”的首选方式。

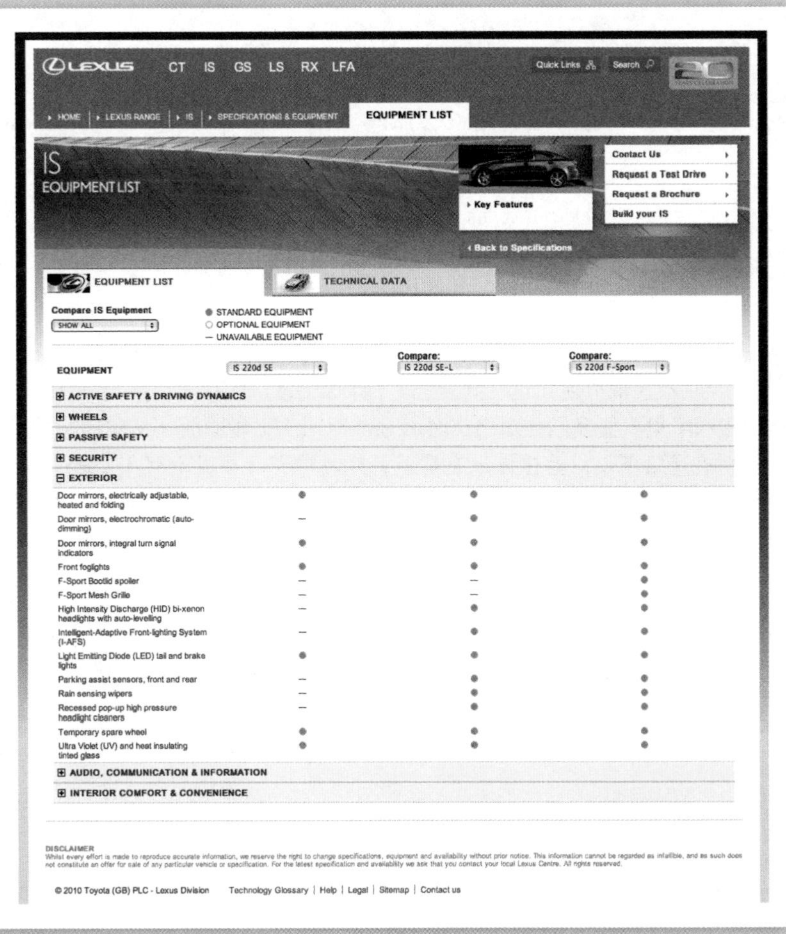

雷克萨斯汽车网站的默认比较项大多数情况下对大多数客户都是有用的。

选项和首选项

在找想要删除的东西吗？就从选项和首选项开始吧。

通常，选项是让用户来自定义设置的。可以说，这是典型的专家行为——专家想要掌握自己的汽车，并且选择很多个性的配置。主流用户只想买辆车开开。

我发现，在设计团队模棱两可的时候，选项和首选项比较容易泛滥。网站导航设计一般有两种形式：面包屑链接和下拉菜单。这两种形式都不错，干脆都加上吧。这样，可以让用户多一种选择。

这个决定听起来倒还蛮像那么回事。但是，难道要让用户浪费时间来回答"哪种导航形式最方便"这个问题吗？这种做法与对简单产品的追求相差何止十万八千里。让我们再拿出点时间来，回顾一下帕丽斯·希尔顿的故事：你把相机递给朋友，他接过来之后就开始琢磨——相机上有3个抓手和快门按钮，到底哪个最合适呢？就在朋友迟疑的瞬间，希尔顿那翩若惊鸿的丽影已然消逝在人海。

简单的用户体验不会强迫用户去做这种选择，哪种方式最有效应该是设计团队考虑的问题。解决这个问题的最佳途径就是请一些用户来测试。如果测试结果是两种方式不分伯仲，都没有明显的缺陷，就意味着没有"错误"的设计。赶紧选择一种方式实现，然后继续。

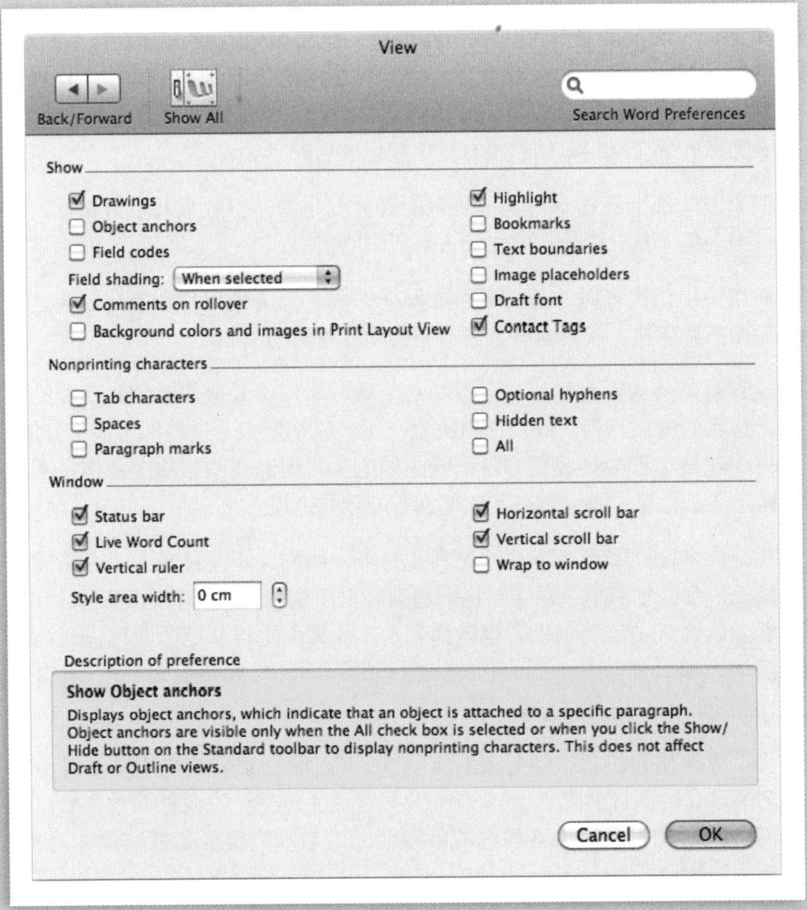

View

Back/Forward

Show All

Search Word Preferences

Show

Drawings

Object anchors

Field codes

Field shading: When selected

Comments on rollover

Background colors and images in Print Layout View

Highlight

Bookmarks

Text boundaries

Image placeholders

Draft font

Contact Tags

Nonprinting characters

Tab characters

Spaces

Paragraph marks

Optional hyphens

Hidden text

All

Window

Status bar

Live Word Count

Vertical ruler

Style area width: 0 cm

Horizontal scroll bar

Vertical scroll bar

Wrap to window

Description of preference

Show Object anchors

Displays object anchors, which indicate that an object is attached to a specific paragraph. Object anchors are visible only when the All check box is selected or when you click the Show/Hide button on the Standard toolbar to display nonprinting characters. This does not affect Draft or Outline views.

Cancel

OK

主流用户不喜欢为设置
选项和首选项费心劳神。

如果一个选项还嫌多

有时候，即使一个选项都嫌多。不久前，我观察了一个旅游网站特价区的用户测试。我们要求参与者找出并登记一个节假日。找出节假日很简单，他们很快就作出了决定。但是，在登记按钮的旁边还有一个“查看详细说明”链接。这个链接具有很大的诱惑力。每当一位参与者马上要去登记时，都会先点开那个链接。结果没有一个登记成功的。

我们原以为那个链接对不是很确定的人会有帮助。但效果却恰恰相反，这个链接动摇了每一个接近完成的人对我们的信心。

在向用户提供选择时，务必要考虑周全一些，想清楚用户会不会因为这些选项而不知所措，或者这些选项会不会动摇他们的决心。

可以到亚马逊或百思买这类大型站点上看一看，看看他们对结账功能的设计。结账的时候，用户必须作出决定：买，还是走人。这些网售商都知道，任何一丝疑虑都会导致用户打消购买的念头。因而在结账这个环节，网售商删除了其他每个页面顶部和底部都有的导航链接。

我想，大多数消费者都不会注意到这一点。他们为了买件东西，一路过关斩将——都在忙着填表单了。但网售商心里清楚，如果把那些链接放回去，消费者就会点击，销售机会也就消失了。如果你觉得从这个角度讲还没有说服力，那么可以想一想，在站点其他的页面和结账页面之间来回切换，这样浪费时间对用户有什么好处？

记住，主流用户希望“够好就行了，快点”，而专家则希望“尽可能地完美，等多长时间都愿意”。如果你想要设计受主流用户喜爱的简单体验，就问问自己，向用户提供这些选项会不会因为追求完美而牺牲速度和简单。如果是，删除那些选项。

你的意思是

浏览其他选项 | 马上购买

他们看到的是

暂时不作决定 | 不改主意

错误

即使非常小的错误也会让用户烦恼。消除错误是简化用户体验的一个方面。

几年前，有人请我帮一家网上银行设计一个往来账户查询页面。这家银行想让这个服务吻合他们品牌的理念——友好、亲切和简单。

往来账户的页面上有一个控件，用户可以通过它选择对账单。具体来说，需要从两个下拉菜单中选择月份和年份，然后再单击“Go”按钮。听起来已经够简单了。

但这个控件可能会导致两方面的错误。如果你选择了将来的日期，就会有一条错误消息提示你，意思就是说你很白痴。如果你选择了一年前的日期，同样会看到一条提示消息，告诉你再试一次，因为银行只提供12个月以内的对账单。匆匆忙忙的客户很容易在这个控件上选错，无论显示什么错误消息，好像都没有那么友好、亲切和简单。

问题实际上是，用户只需从过去的12个月的对账单中进行选择，可却在要求他们输入日期。因此，我把两个日期控件改成了一个可用银行对账单的下拉列表。

在重新设计的控件里，用户只能选择可用的对账单，因此都不用再设计错误消息了。这样，系统维护起来自然也会更简单。

用户在纠正错误的时候，总会分散一部分注意力，而且感觉上是遇到了麻烦。为了避免发生错误，设计人员经常会打断用户——“你确定要这样做吗？”但从某种角度来说，这种方式是很差劲的。因为这样会干扰所有人，即使人家的选择没错也不能幸免。

在设计简单的体验时，关键的一步是确定哪些地方需要错误消息，或者检查错误日志，从中找出常见的错误消息。

消除错误的来源是简化体验的一个重要思路。

如果忘了更改年份，你可能碰巧请求的是下一个月的银行对账单。重新设计后的界面只列出可用银行对账单。

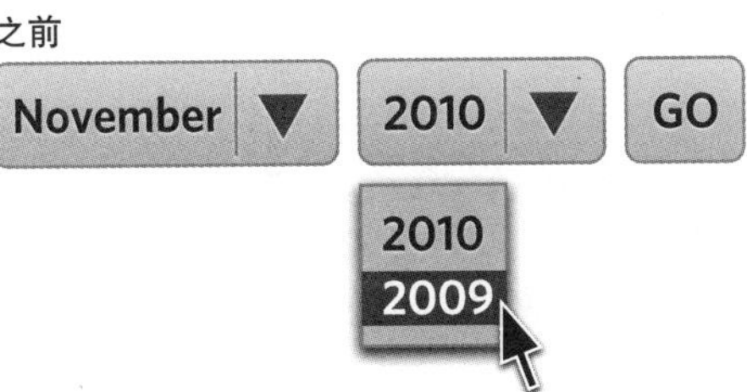
之前
November
2010
GO
2010
2009

之后
September 2010
August 2010
July 2010
June 2010
May 2010
April 2010
March 2010
February 2010

视觉混乱

删除视觉混乱的元素意味着人们必须处理的信息变少了，能够把注意力集中到真正重要的内容上。我注意到，用户所说的“干净”的界面，意思就是其中没有杂乱的元素。

设计师爱德华·塔夫特（Edward Tufte）谈到要让“数据墨水率”越来越高。换句话说，墨水（或像素）不应该浪费在那些不是内容或者重复的内容上。为此，他删除了图表中的网格线，只剩下坐标轴和折线。他的理由是，网格线分散了用户的注意力，导致他们不能专注于更重要的数据：图中的折线形状。

删除混乱元素很简单。观察设计方案中的每一个元素，想一想为什么需要它。它能够提供重要的信息，还是能够提供支持？先把它从方案中删掉。如果方案中没有它不行，再把它拿回来。

以下是一些减少视觉混乱的方法。

- 使用空白或轻微的背景色来划分页面，而不要使用线条。为什么？因为线条在前景中，而空白和颜色在背景上，前景会更多地吸引人的注意力。
- 尽可能少使用强调。如果仅加粗就行了，就不必又加粗、又放大、又变成红色。
- 别使用粗黑线，匀称、浅色的线更好。
- 控制信息的层次。如果页面中信息的层次超过了两或三个层次，就会导致用户迷惑。比如说，要少用数字、大字体或粗字体。最好总共不超过三个层次：标题、子标题和正文。
- 减少元素大小的变化。例如，如果你在设计某个报纸的电子版，可能会有一大块放置头条新闻，另有 5 小块放置次要一些的新闻，千万不要让版面上出现大小都不同的 6 个区块。
- 减少元素形状的变化。整个界面中最好只使用一种按钮样式，使用三或四种按钮样式就太花哨了。

你会发现原来可以从网页中清理掉的混乱因素真是太多了。

之前

MercurialNews.Net
Search this site
Home World Americas Europe Asia Pacific Africa Business Politics Health Education Sci/Tech Environment Weather Sport
Elkins steps down from MegaCorp
BREAKING NEWS Christian Elkins announces that he will be retiring from his joint role of Chairman and CEO of MegaCorp in the light of what he called 'Recent announcements'. READ MORE
Elkins: Highs and lows READ MORE
In pictures: MegaCorp's rise and rise READ MORE
Stockwatch READ MORE
Property development 'a threat to bats' >>
Many species of bats, including some of the most common are now under threat due to 'unnecessary property development' says a spokesperson for the National Society for Green Spaces
Q&A: Bats and belfries >>
NEW Urban gardens a 'haven' >>
New Town Center plans unveiled >>
100 species under pressure >>
++ NEWS TICKER ++SPORT: Striker Tony Wilkins withdraws from Premiership opener for Fulchester Rovers
ALSO IN THE NEWS TODAY
What a waste?
Home owners are urged to make use of pumpkins for food and compost after it is revealed that over 5m tonnes of food are 'wasted' on decorations. >>
AIR TRAVEL ON THE UP
Record numbers of passengers fly between Europe and Asia as lower fuel costs stimulate long-haul travel according to the European Union.
FULL STORY>>
HEADLINES
Beijing boom continues after Olympics >>
Financial markets rise on commodities news >>
Snub to Prince on factory tour >>
Marriages, deaths both down in 2009 >>
Flexible metal may hold secret to faster chips >>
Dog owners stage council protest >>
Messy beds not as healthy as first thought >>
LOCAL NEWS
Your PostCode
Because your PostCode falls between two news zones we are currently unable to bring you the most local news available. Please choose the zone for which you would like to receive local news, sport and weather forecasts.
BRISTOL
SOMERSET
Putting on a show
Equestrian fans gather for their own 'Mini Badminton'.
FULL STORY
Eye in the sky
Police forces trade squad cars for helicopters and bicycle patrols. But many people mourn the passing of their 'Z Car bobbies'.
FULL STORY

之后

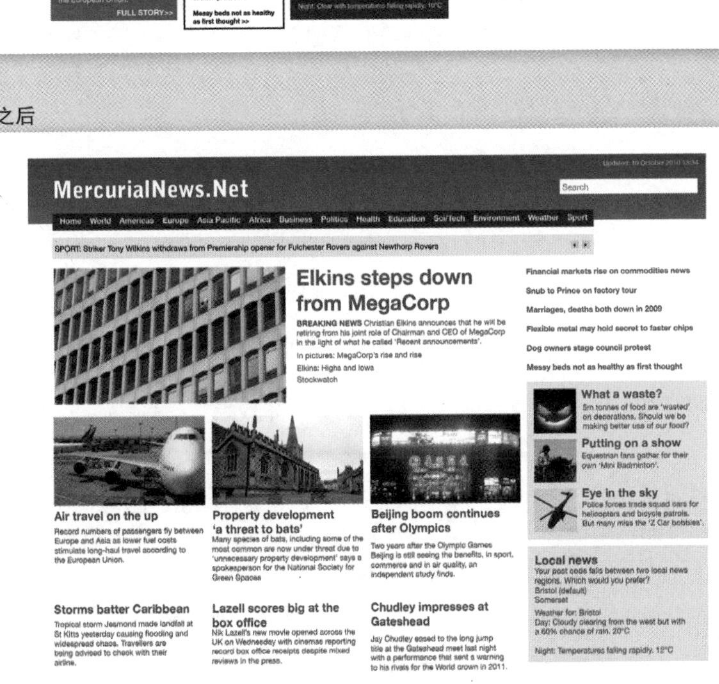

MercurialNews.Net
Search
Home World Americas Europe Asia Pacific Africa Business Politics Health Education Sci/Tech Environment Weather Sport
SPORT: Striker Tony Wilkins withdraws from Premiership opener for Fulchester Rovers against Newthorp Rovers
Elkins steps down from MegaCorp
BREAKING NEWS Christian Elkins announces that he will be retiring from his joint role of Chairman and CEO of MegaCorp in the light of what he called 'Recent announcements'.
In pictures: MegaCorp's rise and rise
Elkins: Highs and lows
Stockwatch
Financial markets rise on commodities news
Snub to Prince on factory tour
Marriages, deaths both down in 2009
Flexible metal may hold secret to faster chips
Dog owners stage council protest
Messy beds not as healthy as first thought
What a waste?
5m tonnes of food are 'wasted' on decorations. Should we be making better use of our food?
Putting on a show
Equestrian fans gather for their own 'Mini Badminton'.
Eye in the sky
Police forces trade squad cars for helicopters and bicycle patrols. But many miss the 'Z Car bobbies'.
Air travel on the up
Record numbers of passengers fly between Europe and Asia as lower fuel costs stimulate long-haul travel according to the European Union.
Property development 'a threat to bats'
Many species of bats, including some of the most common are now under threat due to 'unnecessary property development' says a spokesperson for the National Society for Green Spaces
Beijing boom continues after Olympics
Two years after the Olympic Games Beijing is still seeing the benefits, in sport, commerce and in air quality, an independent study finds.
Local news
Your post code falls between two local news regions. Which would you prefer?
Bristol (default)
Somerset
Weather for: Bristol
Day: Cloudy clearing from the west but with a 60% chance of rain. 20°C
Night: Temperatures falling rapidly. 12°C
Storms batter Caribbean
Tropical storm Jesmond made landfall at St Kitts yesterday causing flooding and widespread chaos. Travellers are being advised to check with their airline.
Lazell scores big at the box office
Nik Lazell's new movie opened across the UK on Wednesday with cinemas reporting record box office receipts despite mixed reviews in the press.
Chudley impresses at Gateshead
Jay Chudley eased to the long jump title at the Gateshead meet last night with a performance that sent a warning to his rivals for the World crown in 2011.

删减文字

为什么有那么多网页都塞满了没人看的文字？也许是因为网页不像纸面那样篇幅有限，无论多少文字网页都可以容纳。因此，多一两段，甚至两三段，都不会有什么问题。

多余的文字通常是浪费。用户不会傻了吧叽、一字不落地看完。他们用眼睛扫视整个页面，只捡其中有意思的词或句子看两眼就不错了。

删除文字有下列三大好处。

- 重要的内容“水落石出”。
- 消除了分析满屏内容的麻烦。
- 读者会对自己看到了什么更有自信。

不知道应该删除哪些文字？下面是多余文字常见的几个藏身之所。

删除引见性文字。通常，一打开页面，首先映入眼帘的是文章开头的那几句废话（“欢迎光临我们的网站，我们希望您心情愉快……”）。这些话听起来不会让人觉得你口才好，也不吸引人，只会让读者纳闷作者到底想说什么。删掉这些文字，开门见山多好。

删除不必要的说明。这一类内容是多余文字的“主力军”，通常可以“片甲不留”。删掉“填写完这些字段后，请您按提交按钮把申请提交给我们”。页面的标题（“申请表”）和页面的内容（表单）足以让用户明白自己该怎么做了。

删除烦琐的解释。链接下面经常会有描述和解释性文字。这些文字有时候是必要的，否则不同的人对链接指向哪里会产生不同的理解。然而，解释性文字经常是页面冗余的又一大来源。把“产品搜索：回答几个简单的问题，即可帮您找到合适的产品”替换成“产品搜索”，就能从 24 个字中省去 20 个。

使用描述性链接。通常位于标题下面的“单击这里”或者“更多内容”链接都想说明要把读者带去哪里。把标题本身作为链接可以让页面更清爽。

> “把每一页中的文字删掉一半，然后把剩下的再删掉一半。”
>
> ——史蒂夫·克鲁格《点石成金》中第三条可用性法则

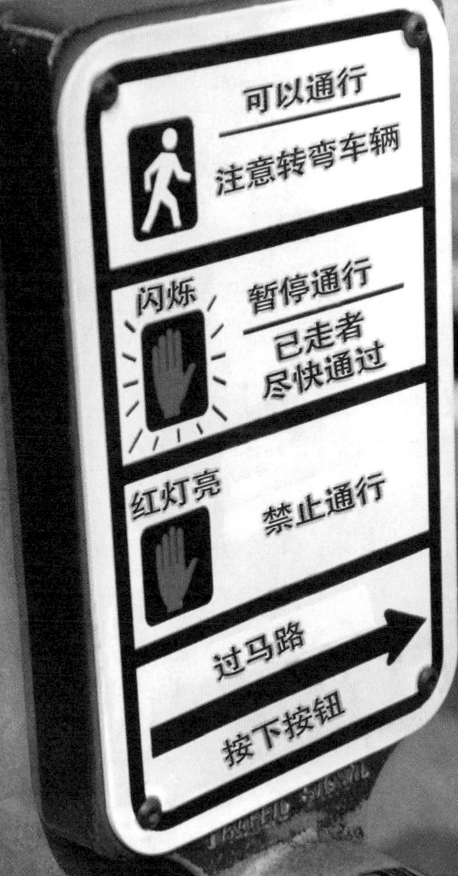

可以通行
注意转弯车辆
闪烁
暂停通行
已走者
尽快通过
红灯亮
禁止通行
过马路
按下按钮

减少不必要的说明。

精简句子

几乎任何句子都能够精简，几乎任何文字都可以删除。在 *Revising Prose* 这本书中，理查德·兰哈姆（Richard Lanham）向我们介绍了一种把长篇大论精简为短小句子的简单方法。

- 不使用介词（“对于 / 根据 / 为了 / 基于 / 通过 / 关于”）。这些词会弱化句子的谓语，因此要尽量省略。
- 不使用 is 的动词形式（“正在消耗时间”），尽你所能使用其他表述方式（“花时间”）。
- 把被动句式（“时间是被这个项目所需要的”）转换为主动句式（“这个项目需要时间”）。
- 删掉索然无味的开头（“大家都很容易看到这一点，……”），开门见山。
- 减少废话。在表达相同意思的前提下，用“每天”代替“在每天的基础上”。

这些规则可以把文字变得简洁、清晰、有说服力。

例如，

- 请注意这一点，尽管 Chrome 同时被 Mac 和 Windows 操作系统所支持，但为了确保您的浏览体验最佳，我们还是建议本站点的所有用户使用到目前为止最新版本的 Firefox 浏览器。（69 个字）

可以简化为：

- 为保证最佳效果，请使用最新版的 Firefox。本站也支持 Mac 和 Windows 平台下的 Chrome。（31 个字）

请使用兰哈姆的方法剔除充斥于字里行间的那些多余的文字。

DDB 公司在英国为大众汽车设计的广告就展示了应该剔除多少东西。

volkswagen.co.uk/efficiency

~~我们的~~ BlueMotion ~~系列汽车集轻型的材质、增强的空气动力、节能的引擎以及耐磨的轮胎于一身，节油减税，~~为你省钱。

BLUEMOTION TECHNOLOGIES

Another example of ~~Volkswagen~~ efficiency.

Das Auto.

删减过多

在东京的苹果专卖店，我发现了一部引人注意的玻璃电梯，装饰着苹果独有的拉丝铝合金。这部电梯与世界上其他电梯的不同之处在于，它没有按钮：电梯外面没有呼叫电梯的按钮，电梯里也没有任何控制按钮。这台升降机在专卖店的四层楼之间上下往返运行，每个楼层都会自动停一下。

苹果已经把这部电梯精简到了极致：一个在不同楼层间运送顾客的平台。但是，这部电梯并没有给人简单的感觉，而是让人觉得它神经错乱。面对这部电梯，你能感受到的只有迷惑、沮丧和无助。它在我想去的那一层停不停？为什么在没人上下的楼层还要停呢？

苹果删除了一个关键的要素：操控装置。

没有了控制感（呼叫电梯和控制电梯），没有一个活生生的人在操作（站在你前面问你去几层，然后为你按按钮），也没有了电梯工作正常的反馈（按下按钮后，它会发光），就相当于把自己完全交给了这部机器去碰运气。

在没有按钮的电梯里，人们会感觉到是在浪费时间，心烦意乱。删除所有操控装置并没有简化体验，反而让体验更复杂。

通过飞机上的显示屏查询信息时，我也遇到过同样的问题。后台程序慢条斯理地切换着世界地图、当地地图和飞行数据。屏幕上没有任何控件，等待切换的时间越发显得无法忍受。

人们希望自己能够掌控局面。他们更愿意成为导航员，而不是过路人。在感觉自己在撞大运或受不可见的力量支配时，他们会非常焦急，甚至会求助某些迷信行为，让自己找到一种掌握局面的感觉。比如说，走路时刻意避开人行道上的缝隙，或者穿上一件能带来幸运的内衣。

这里的关键在于让人们能够控制结果。换句话说，足够多的控制可以让他们消除因基本需求得不到满足而引发的焦虑，但要避免控制太多导致他们因选择而浪费时间。（电梯运行速度多快合适？电梯门打开多长时间合适？）

电梯里没有按钮，
可是，
人们更想当导航员，
而不是过路人。

你能做到

一个大型组织的团队，能不能重新设计他们的网站，说服干系人删除内容和功能？

“早期的主页就是一块广告牌子，”负责万豪酒店 2009 年主页改版的项目经理弗兰·达蒂洛（Fran Dattilo）说，“所有人都说‘这个主页太混乱了，不改不行了’，所有人又都认为自己的东西必须继续留在新主页上。”

万豪酒店的用户测试表明，其主页相当于一个会员俱乐部。对于回头客而言，这个主页问题不大，但新顾客一上来就会晕头转向、不知所措。

重新设计主页的工作必须具有极强的灵活性，但用户体验团队发现此前弄出的是一个无法控制的庞然大物。于是他们开始设计一个根本无法变通的方案。

内容区域少多了，而且只有一个特色推荐——上方呈扇形的浮动选项卡。这样就把主页中的链接由 77 个减少到 43 个，很大程度上减少了混乱。

为了说服公司，该团队不断收集证据。新主页方案是万豪酒店上线以来，基于实时站点数据测试得最完备的一个设计方案。“在向主要干系人汇报时，我们会告诉他们以前这个主页一年只会被点击 500 次，而新的设计方案无论是在中国还是在美国都适用。”

即便如此，改版主页上线仍然颇费周折，万豪用户体验总监马里亚纳·卡瓦尔康蒂（Mariana Cavalcanti）回忆道：“上线那天，我们凌晨三点半就来了。我们已经作好了预订量下降 10% 到 15% 的准备，这样的心理准备是必要的。但是预订量并没有下降。满意度确实降低了——回头客没人支持改版。但四个月后，满意度就超过了原先的水平。而且留言簿上还有很多评论，拿我们跟其他品牌进行比较。我们已经把其他品牌全都比下去了。”

简单的设计通常出自一位眼光独到的设计师、一位“无情的”或“毫不妥协的”创新者之手。但是，我们大多数人所在的组织中，妥协和让步已经成为常态。万豪酒店的例子表明，在共同愿景的基础上，在关注主流用户的前提下，通过彻底重新设计是可以达到简约之效的。

之前

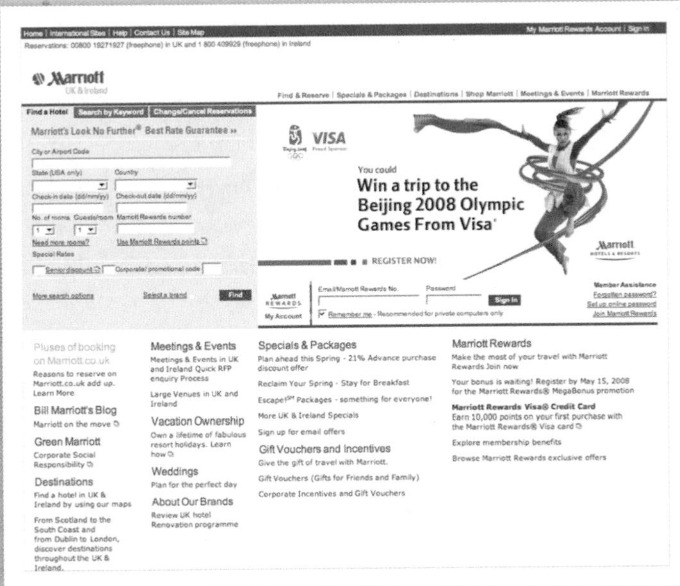
Home | International Sites | Help | Contact Us | Site Map
My Marriott Rewards Account | Sign In
Marriott
UK & Ireland
Find & Reserve | Specials & Packages | Destinations | Shop Marriott | Meetings & Events | Marriott Rewards
Find a Hotel
Search by Keyword
Change/Cancel Reservations
Marriott's Look No Further® Best Rate Guarantee »
City or Airport Code
State (USA only)
Country
No. of rooms
Guests/room
Marriott Rewards number
Need more rooms?
Special Rates
More search options
Select a brand
Find
VISA
You could
Win a trip to the
Beijing 2008 Olympic
Games From Visa
REGISTER NOW!
Password
Sign In
Member Assistance
Forgotten password?
Set up online password
Join Marriott Rewards
Pluses of booking
on Marriott.co.uk
Reasons to reserve on
Marriott.co.uk add up.
Learn More
Bill Marriott's Blog
Marriott on the move
Green Marriott
Corporate Social
Responsibility
Destinations
Find a hotel in UK &
Ireland by using our maps
From Scotland to the
South Coast and
from Dublin to London,
discover destinations
throughout the UK &
Ireland.
Meetings & Events
Meetings & Events in UK
and Ireland Quick RFP
enquiry Process
Large Venues in UK and
Ireland
Vacation Ownership
Own a lifetime of fabulous
resort holidays. Learn
how
Weddings
Plan for the perfect day
About Our Brands
Review UK hotel
Renovation programme
Specials & Packages
Plan ahead this Spring - 21% Advance purchase
discount offer
Reclaim Your Spring - Stay for Breakfast
More UK & Ireland Specials
Sign up for email offers
Gift Vouchers and Incentives
Give the gift of travel with Marriott.
Gift Vouchers (Gifts for Friends and Family)
Corporate Incentives and Gift Vouchers
Marriott Rewards
Make the most of your travel with Marriott
Rewards Join now
Your bonus is waiting! Register by May 15, 2008
for the Marriott Rewards® MegaBonus promotion
Marriott Rewards Visa® Credit Card
Earn 10,000 points on your first purchase with
the Marriott Rewards® Visa card
Explore membership benefits
Browse Marriott Rewards exclusive offers

之后

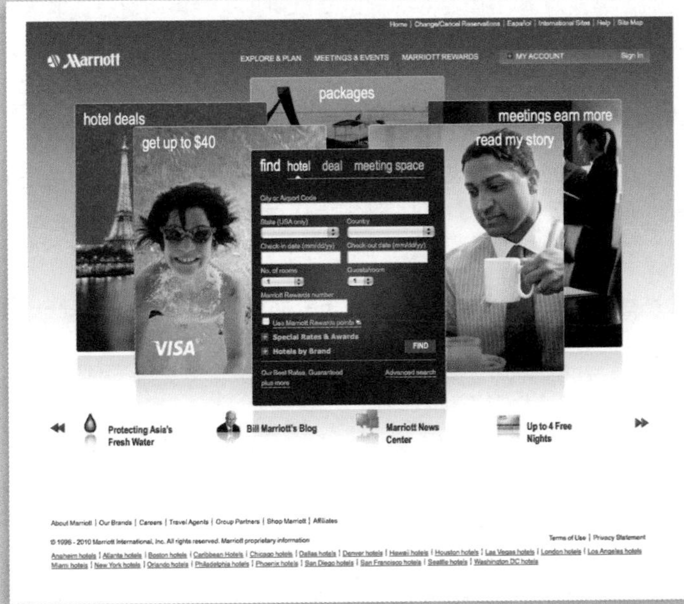
Marriott
EXPLORE & PLAN
MEETINGS & EVENTS
MARRIOTT REWARDS
MY ACCOUNT
Sign In
packages
hotel deals
meetings earn more
get up to $40
read my story
find hotel deal meeting space
City or Airport Code
State (USA only)
Country
No. of rooms
Marriott Rewards number
Special Rates & Awards
Hotels by Brand
FIND
VISA
Protecting Asia's
Fresh Water
Bill Marriott's Blog
Marriott News
Center
Up to 4 Free
Nights

焦点

“删除”策略的核心就是干掉那些分散注意力的因素，聚焦于项目。

- 聚焦于对用户有价值的功能。这意味着专注于那些承载用户核心体验的功能，也意味着交付的功能必须能够消除用户的挫折感，能够消除他们的焦虑。
- 聚焦于可用资源，通过删除残缺的功能、不切题的元素和花里胡哨的东西为用户提供价值。
- 聚焦于达成用户的目标。纠结于流程会陷入细节的泥潭而无法自拔。
- 删除那些干扰性的、增加用户负担的“减速带”：错误消息、不知所云的文字、不必要的选项和造成视觉混乱的元素。

有了耐心，再加上数据支持，你就可以为自己的大多数项目找到焦点。如果你面临的是人的问题，那么可以通过阶段性地步步为营或者通过测试获得的证据来解决。如果你的问题是技术过时或者系统不兼容，那么问题会随时间推移而（缓慢）变化。不过，有两个例外。

一个是不可避免的法律要件，必须包含特定的内容或信息。常见的是金融和医药类的产品或服务，必须带有特定的声明。这些声明对公众其实没有什么意义，但立法者对此有要求。法律也可以变。澳大利亚的大卫 · 斯莱斯（David Sless）一直在推动立法机构放弃长长的令人困惑的文字，使用消费者容易理解的表述方式，这方面已经取得了一些成功。

另一个例外是不能脱离环境删除某些功能。DVD 遥控器就是一个合适的例子。目前市面上有数百万台 DVD，都需要使用带数字键盘的遥控器。如果把数字键盘拿掉，那些已经购买这种 DVD 的人就无法适应了。

在等待世界自动改变的同时，还是有很多机会能够简化设计，这些过程不很激进，但却能够迅速实现。

删除混乱的要素可以让用户聚焦于真正重要的功能。

第 5 章
组　　织

组织

组织是简化设计的另一个重要策略。对于 DVD 遥控器来说，组织是简化设计最常见的一种方式。而且，这种方式一般不用太大投入，只是改变一下遥控器面板上按钮的布局和标签花不了多少钱，也不会面临像删除功能那样艰难的抉择。

在重新组织界面时，你会发现有各种各样考虑问题的角度——尺寸、颜色、位置、形状、层次。但是，从这些角度进行选择必须把握一个度。我见过一些 DVD 遥控器，面板上的按钮五颜六色，看起来就像是镶满了撞珠游戏中的色球一般。

如果你想通过组织的方式来简化设计，要记住最重要的一点是只强调一两个最重要的主题。随随便便地组织不会让用户的注意力集中，只能让他们眼花缭乱。

最好的 DVD 遥控器设计只突出起点（开 / 关按钮）和最常用的按钮（播放、暂停和停止）。

Flip 摄像机也是一个绝好的例子。在它的 9 个按钮中，只有一个（录制）按钮是特别突出的。如果把设计比喻成谈话，那么起头总是最难的环节。Flip 深谙此道，它会告诉你：“嘿，从这里开始。”

组织往往是简化设计的最快捷方式。

分块

分块，是把 DVD 遥控器上的按钮组织起来、方便操作的有效方式。

用户界面设计离不开分块。微软的 Word 包含数百项功能。为了便于管理，他们把这些功能分别组织到了 9 个菜单中。每个菜单里又包含几十个命令，乍一看还是非常多，因此他们又把这些命令分成了块。单击菜单中的一项，通常会看到一个对话框，对话框里又包含了其他功能。这些烦琐的功能通过分块，被组织成了清晰的层次结构。

有关分块的经典建议是把项组织到“7 加减 1”个块中。理论上讲，这个数字是人的大脑瞬间能够记住的最大数目。如果眼前有一个包含 10 项的列表，那么你很可能会像“狗熊掰棒子”一样，前脚看完后脚就忘了。

不少心理学家认为人类的瞬间存储空间其实更小——大约只有 4 项。不过，“7 加减 1”规则还是有效的，至少看起来人类还能应付得了这个数字。我在要求用户把项目分成块时，他们通常是分出 6 组。

当然，没有人说不能分成更少的块。我就始终认为应该尽可能少分几个块，这样才能让主流用户感觉更简单——分块越少，选择越少，用户负担越轻。

也不是什么情况下都需要分块。如果用户要从一个按照字母表或者时间顺序排列的清单中找出一项，那么就没有必要把这个清单分成 6 块。只要标注出字母表或月份，就足以帮助用户滚动到大致位置了。但是，如果用户不是在连续的索引或刻度上查找项，而是要评估一些可能性，那么分块还是最有效的方式。

组织成一小块一小块。

围绕行为进行组织

用户会提出的第一个问题是："我可以用它来做什么呢？"因此，着手组织之前首先要理解用户的行为：他们想做什么，先做什么后做什么。

网上商店会让用户自己查找想要购买的商品，然后把商品添加到购物车中，设置送货方式，最后付款结账。以上就是对网上商店的功能进行分块的基本依据。

人们一般都希望先从小件日用品开始选购。而这一类商品也正是处理起来最麻烦的，因此应该投入最大的精力来考虑。

人们一般都希望按照某种特定的步骤做事。打乱这个步骤就会造成迷惑，令人沮丧。此时最大的障碍是注册流程和有效性检查。如果不能去掉这个步骤，至少要想办法推迟；如果不能推迟，就要尽量简化它。要悉心了解用户心中的操作步骤，然后尽全力让流程与各个步骤的顺序吻合。

如果你可以把用户划分成两个完全不同的类别（如"医生"和"病人"），他们在网站上的行事方式截然不同，那么这就是一个良好的起点。

问题在于很多用户都具有类似的或重叠的目的。如果你的公司要在网站上为记者提供资料，那么你应该给出公司的背景、新闻稿、新产品信息、新闻图片、年度报告以及人员介绍。财务分析师大致也需要类似的信息。如果你没有很特别的用户群，可能就不应该按用户分类了。

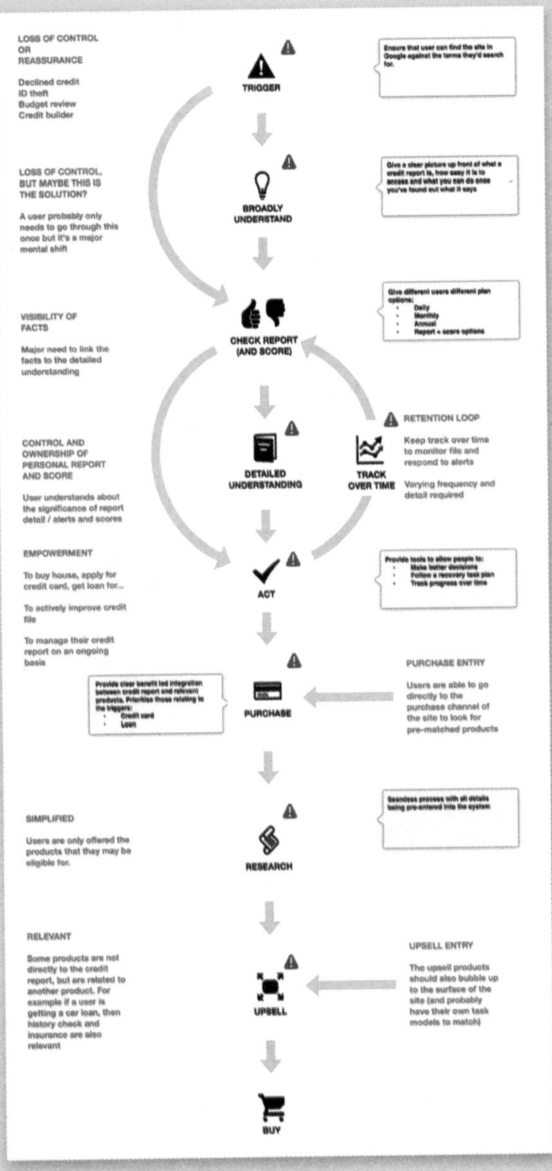
LOSS OF CONTROL
OR
REASSURANCE
Declined credit
ID theft
Budget review
Credit builder
TRIGGER
Ensure that user can find the site in Google against the terms they'd search for.
LOSS OF CONTROL,
BUT MAYBE THIS IS
THE SOLUTION?
A user probably only needs to go through this once but it's a major mental shift
BROADLY
UNDERSTAND
Give a clear picture up front of what a credit report is, how easy it is to access and what you can do once you've found out what it says
VISIBILITY OF
FACTS
Major need to link the facts to the detailed understanding
CHECK REPORT
(AND SCORE)
Give different users different plan options:
Daily
Monthly
Annual
Report + score options
CONTROL AND
OWNERSHIP OF
PERSONAL REPORT
AND SCORE
User understands about the significance of report detail / alerts and scores
DETAILED
UNDERSTANDING
TRACK
OVER TIME
RETENTION LOOP
Keep track over time to monitor file and respond to alerts
Varying frequency and detail required
EMPOWERMENT
To buy house, apply for credit card, get loan for...
To actively improve credit file
To manage their credit report on an ongoing basis
ACT
Provide tools to allow people to:
Make better decisions
Follow a recovery task plan
Track progress over time
Provide clear benefit led integration between credit report and relevant products. Prioritise those relating to the triggers:
Credit card
Loan
PURCHASE
PURCHASE ENTRY
Users are able to go directly to the purchase channel of the site to look for pre-matched products
SIMPLIFIED
Users are only offered the products that they may be eligible for.
RESEARCH
Seamless process with all details being pre-entered into the system
RELEVANT
Some products are not directly to the credit report, but are related to another product. For example if a user is getting a car loan, then history check and insurance are also relevant
UPSELL
UPSELL ENTRY
The upsell products should also bubble up to the surface of the site (and probably have their own task models to match)
BUY

画出用户的行为有助于理解如何组织你的软件产品。

是非分明

在对一组性质相同的产品（如网上书店的书）进行分类时，确定清晰的分类标准对用户非常重要。

我在接手标致汽车的网站时，其中的信息是按照汽车功能（参照有关行业标准）、选项（适合经销商）和配件（适合公司自己）组织的。

这样分类在公司自己看来非常清晰。我提出按照CD播放机、电子后视镜和自动变速箱排序，他们说不行。

功能、选项和配件的分类法表示内容是否符合某种标准——只有内部人才可能知道。如果是按照品质来组织这些项，经常会遇到这种问题，因为品质这个概念是仁者见仁、智者见智的。

另一种组织信息的标准是特点，例如舒适度、技术、载客量。但这些标准照样因人而异。对某些客户来说，空调是一种技术，但其他人可能认为它关乎舒适度。

简单的组织模式具有清晰的界限——是非分明。这样，用户才能明确知道到哪里去找自己想要的东西。因此，要多找一些用户，询问他们的分类标准。如果众口不一，或者根本就难以回答，你就有麻烦了。

由于汽车是看得见摸得着的产品，我决定利用汽车的布局来组织信息：内饰、外观和性能。所有人都知道CD播放机、后视镜在哪里，也知道自动变速箱应该属于哪个类别。

有时候，你会遇到同属于两个类别的东西。太多的重叠会导致困惑，但有时候确实无法避免。西红柿是一种水果，但你会在超市里的蔬菜区找到它们，因此水果和蔬菜这两个类别中必须都包含西红柿。所谓最简单的分类，通常指的是重复交叉最少的分类方法。

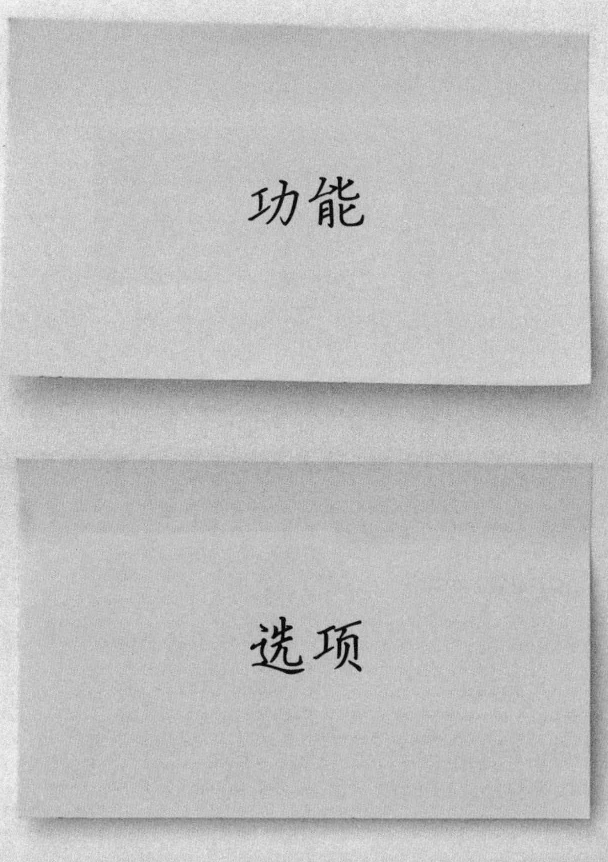

功能

选项

配件

好的分类是非分明。

字母表与格式

有一道脑筋急转弯题：什么时候“finish”（完成）出现在“start”（开始）前面？答案是：字典里。

按照字母表顺序排列，其实会把顺序搞乱。按照字母表顺序排列看起来简单，却经常不可行。如果不知道想要找的东西叫什么，那就完蛋了。到底是想找 jacket（夹上衣）呢，还是找 sport coat（短外套）？你是想找 Marketing（市场部）的人，还是找 Sales and Marketing（销售和市场部）的人？当然，对于专有名词，按照字母表顺序建立索引是没有问题的，因为有一个“准确无误”的词在描述某个概念，比如 surnames（姓）和 countries（国家）。否则，就应该寻找更好的替代方案。

按照格式（文字、图片、视频）来对内容进行排序，是另一种看起来简单实则费力不讨好的分类方法。如果你正在看描述夏威夷的某些文字，你会想要看一些当时当地的图片或视频。而从头再来寻找视频会非常麻烦。

对于适合按照格式分类的情况，我唯一遇见的就是某些会议日程。在这些会议中，某些格式（如专题报告）需要采取不同的注册流程。换句话说，不同的参会者需要使用不同格式的资料。然而，这些都属于例外，一般而言组织会议信息最简单的方式莫过于按照时间顺序了。

字母表经常会把事情搞乱。

搜索

关于搜索与简单的话题，有两个似是而非的论调。

第一个论调说，有的用户认为搜索比浏览更容易——有一小群人酷爱搜索。这个话听起来好像是没错的。然而，杰瑞德 · 斯普尔（Jared Spool）对 30 名用户 120 多次的购物测试表明，没有一个人始终会把搜索作为第一选择。

相反，他发现只有在网站没有提供有效导航的情况下，用户才会使用搜索。只要想一想，为了找到一个恰如其分的搜索关键词，要先输入这个关键词，然后再挑选出有用的搜索结果，这个过程有多么麻烦，就知道斯普尔的调查结果不足为奇了。直接点击看起来符合你意愿的链接，才是更简单的选择。浏览不需要煞费苦心，况且，只要有链接可循，谁愿意多操一点心呢？

当然，也有例外，设想用户需要从大量类似项中挑选一个已知项，比如在 iTunes 提供的成千上万条可下载音乐中找到某个特殊曲目。这时候，毫无疑问，用户一定会使用搜索。在这种情况下，浏览与搜索相比，肯定要多花数倍的心思。

浏览的一个不太为人所知的好处在于，当人们看到站点中的主链接，或者界面中的主控件时，他们能够理解当前程序可以做什么。如果界面功能一目了然，谁还会看那些介绍性的帮助文字呢？

另一个论调是设计搜索功能要比组织内容链接更容易。或许因为 Google 搜索不费吹灰之力，所以人们才假定搜索很容易做。我的经验是设计简单的搜索界面其实要困难得多。你必须考虑搜索关键词中的拼写错误和同义词，而且，还需要对搜索结果有效地分类组织。仔细看一看 Google 的结果页，你会发现那些搜索结果的排列方式都是经过了复杂处理的，每个搜索结果都与搜索关键词得到了最大程度的匹配。

如果你想设计简单的用户体验，那么最好先对内容有效地组织，然后再考虑如何设计搜索。

无论是设计还是使用，
搜索都比浏览困难得多。

时间和空间

按照时间来组织活动是一种简单又通用的方式。对于那些持续时间相差不大的活动，按照时间排序是最合适的。这样，用户就不必时不时地查找日历和时间表了。尽管组织相同的内容（如会议主题）还有其他方式，但按照时间来组织活动可以让用户对活动本身一目了然。

一些实体对象，如酒店和国家之类的，全都可以按照空间来组织，只要用户对排列方式不感到陌生即可。比如说，可以按照走进酒店的顺序来规划酒店的网站：门岗、前台、餐厅、会议室或活动室、健身房、客房、套房。每个人都能够轻易记住这些空间，因此按照空间来分类是一个很好的选择。

通过图解形式来表示时间和空间可能会有一些问题。

如果你想标示的是公司地点或度假目的地，就会发现某些地区（如欧洲）会显得非常拥挤，而其他地区（如太平洋）又空空荡荡。同样，如果用一张图来描绘一天的日程，也会面临同样的问题（凌晨 1 点至 5 点一般不可能有安排）。

有时候，能够形象地反映密集程度的变化很重要，例如上下班高峰期的公共交通会非常繁忙。有时候，这种自然变化的图表却会导致信息很难查找。我可以通过点击世界地图来设置计算机的时钟，然而，巴黎和伦敦即便分属不同时区，它们在地图上的距离却是以像素计的。

时间线
是组织活动的通用方式。

网格

布局是否清晰明了，对于设计能否让用户感觉简单实在是太重要了。

下页上方的表单是我们公司设计的一个用于搜索火车票的界面。这个表单支持查询，但在用户测试中，参与测试的用户使用它的时候多少会有些踌躇。通过对表单的分析，我们认为还可以进一步简化它。我们从对齐字段的假想的水平网格线着手，来简化这个表单，同时去掉了标识不同字段块的背景颜色，通过空白间距和想象中的网格线对它们进行对齐和分组。

结果，没动一个标签，没多编写一行代码，就得到了一个让人感觉用起来简单的布局。

利用不可见的网格来对齐界面元素，是吸引用户注意力的一种有效方式。用户虽然看不见有网格，但视觉加上想象会告诉他们“接着请看这里”，根本用不着明亮的颜色或者动态图片。网格越是简单，效果就越明显。

哪怕少数几个元素没有放到位，都会破坏这种网格布局的引导效果。在上述表单的原始设计当中，17 个字段里只有 3 个位置不合适，但整体上的网格布局却遭到了严重损坏。

网格布局也会让人感觉局促和受压制。要解决这个问题，可以设计一个不对称的布局。例如，包含奇数列，或者，可以将少量元素设计成跨在两列甚至三列上。抽空看一看《连线》（*Wired*）杂志或《卫报》（*Guardian*）的网站，这两个站点实际上就是基于一个整齐不对称的网格设计的。

之前

Out

5 February

Depart 08 30

Just one way

Return

Anytime / Undecided What's this?

5 February

Depart 08 30

Adults 1 Children 0

Railcard
& other discounts None help

之后

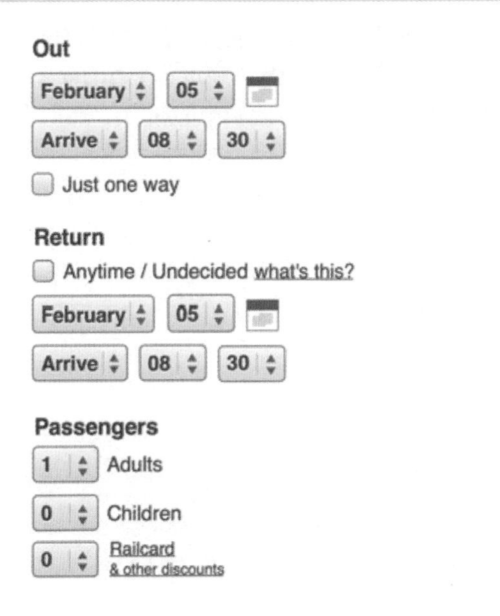

大小和位置

在利用网格来布局界面项时，请注意参考如下关于大小和位置的提示。

重要的元素要大一些，即便比例失调也可以考虑。下一页上的这张图与我看过的第一本界面设计书 *Apple's HyperCard Stack Design Guidelines* 中推荐的很相似。如果你在设计一个体育新闻网站，把高尔夫球弄得跟英式足球一样大似乎不够精确，但要是使用实际大小，反而会让人觉得网球大师杯赛还不如全美足球大联盟赛重要似的。体育迷们可能会为此而争论，但体育频道的编辑则更倾向于对各种运动一视同仁。

不太重要的界面元素应该小一些。要想办法表现出不同的重要性，否则用户就会被搞迷糊。记住这条规则：如果一个元素的重要性为 1/2，那就把它的大小做成 1/4。

把相似的元素放在一起。这一条听起来理所当然，但效果却极为明显。把类似的界面元素放在一起，能够有效减少视觉上的干扰因素（如色标、标签或边框），也不必解释它们之间的关系。这样也可以让用户更容易集中注意力，因为他们不必再在屏幕上东张西望了。

说到在计算机屏幕上布局导航元素，我从来没有发现任何证据能够证明导航条靠在屏幕的左边或右边，甚至横跨在屏幕上方的效果肯定更好。当然，这并不是针对网站而言的。真正应该担心的问题，是用户能不能轻易地找到想找的按钮。对于网站来说，这通常意味着把重要的链接与内容一起放在中间位置。

然而，触摸界面的问题还要复杂一些。把应用的导航按钮放在屏幕底部，用户触摸它们时就不会遮挡住屏幕。而在大型的触摸屏上，把导航放在左侧（或右侧）可能会给习惯用右（左）手的人带来麻烦。

改变球的大小可以表明
每项运动都同等重要。

分层

伦敦地铁图在非常小的空间内填入了大量信息。13 条线路上的 300 多个站点全部被塞到一个巴掌大的地图里。防止这些信息混乱不清的一种方式，就是使用一种名叫感知分层的技术。

每条地铁线路都用一种不同的颜色表示，让它看起来好像是位于独立的一层之上。人们在无意的状态下，只会感知到自己关心的那条线路的颜色，将其他线路排除在意识之外。尽管各条线路在地图上交叉纵横，但不同的颜色可以让读者每次只专注于其中一条。

利用感知分层技术，我们可以把一些元素放在另一些元素上方，或者把两组元素并排起来。例如，可以用连续的色带联系相关的内容，甚至，还可以让散落在用户界面各个地方的元素之间建立联系，比如为购买按钮和购物车图标应用相同的颜色。在使用感知分层的情况下，不一定要把界面严格分割成几个区域。

感知分层借助于颜色很容易实现。除了颜色之外，使用灰色阴影、大小缩放，甚至形状变化，都可以实现感知分层。

以下是几点提示。

- 尽可能使用较少的层。内容越复杂，所需的分层反而能少些。
- 考虑把某些基本元素放在常规背景层，因为一个元素很难放在两层里。
- 尽量让任意两层之间的差别最大化。20% 的灰度和 30% 的灰度很难让人分清。类似地，在选择颜色时不能忘记色弱的用户。
- 对于相对重要的类别，使用明亮、高饱和度的颜色，可以让它们在页面上更加突出。
- 对于同等重要的类别，利用感知分层技术，使用相同的亮度和大小，只是色调要有所区别（就像伦敦地铁图中的地铁线路那样）。

要想知道设计是否成功，可以眯起眼睛来观察屏幕，看是否能区分出不同的层。

Reg. user No. 10/1806/P, Correct at time of going to print 08.2010

色标

色标系统是随处可见的。医院、文件夹、交通信号灯、尺码表、地图、仪表板，几乎无处不在。

或许因为伦敦地铁图设计得如此成功，我们会想到使用色标是一条简化设计的捷径。但是，使用颜色分层与使用颜色标记信息仍然有细微的差别。

分层信息中的颜色利用了人们的记忆原理，因此给人造成的负担很轻。而使用颜色来标记信息的代价却很明显：与任何标记系统一样，需要人们花时间来学习和理解这些标记，因此需要用户花费更多的心思。

临时的访客也许没有时间去学习和记忆。使用的颜色越多，学习的时间就越长。如果整个设计中使用的颜色还不完全一致，用户就会分不清什么颜色表示什么含义。

另一个问题是将在某个环境中众所周知的标记系统借用到其他环境。比如说，英国的食品标签就使用了红绿灯的颜色，来标明食品中是否含盐或脂肪等需要限量摄入的成分。虽然红绿灯的颜色对汽车司机是司空见惯的，但对于购物的人却需要全部重新解释，因为没有多少人知道。而且，由于色盲的人分不清红色和绿色，所以说这也不是个通用的解决方案（真正的交通灯利用颜色和位置共同构成完整的信号系统）。

在不必要的情况下添加颜色会导致困惑。

在确保人们会花很长时间学习，而且他们会重复使用你的设计时，色标系统非常适合。当然，使用人们已经知道其含义的色标也没有问题。

要吃很多寿司才能记住每种颜色的含义。

期望路径

下次，你再到人比较多的某个公园或某块草地上去玩时，注意两件事。首先，看看有没有设计者或建筑师在公园里铺设的小路。设计师是从天空向下俯视的角度想象人们应该怎么在空间里穿行从而设计出这些小路的，小路通常都是笔直整齐的，呈某种几何形状。其次，再注意一下人们在散步时横跨草地踩出的小路。这些不起眼的“期望路径”通常都与铺好的路不一样。

在总揽全局的时候，设计师认为自己设计了一个完美的布局。但是，当漫步在公园里面时，你会发现人们自己创造的期望路径——有抄近路出门的、有为避开大路提前拐弯的、有把两条并行的小路连起来的。在这些期望路径上漫步，总会令人感到比在“完美”的人行道上更简单。

如果你在描述用户使用软件的路径，千万不要被自己规划图中清晰的线条和整洁的布局所迷惑。

不断重复使用软件的流程，看看哪个地方总是抓住你的眼球。（用眼光瞟你的屏幕布局！）仔细观察做同样事情的其他人。

简单的组织，意味着你在使用软件时会对什么感觉不错，而不是你在规划中看到了什么逻辑。

人们并不总是走你
为他们铺好的路。

第 6 章

隐　藏

隐藏

简化 DVD 遥控器的一个流行的方式，是把功能隐藏在仓盖或滑动面板下面。我家里的几个遥控器就是这样的。

另一种隐藏按钮的方案是触摸屏遥控器。最常用的功能显示在屏幕上，而不常用的功能则隐藏在菜单里面。

你可以买一个可编程的触摸屏遥控器，这类遥控器的卖点就是容易使用，价钱大概是一般 DVD 播放机的两倍左右。这也正好说明了有些人准备为追求简单付出多少。

无论你想走高技术高价格的路线，还是想花点小钱把某些功能隐藏在一个塑料仓盖后面，隐藏都比组织具有一个明显的优势：用户不会因不常用的功能分散注意力。

对某些人来说，隐藏可能还是删除不必要功能的开始：把它隐藏起来，让它在黑暗中默默死去，然后删除它。我对这种做法持怀疑态度。要想拿掉任何功能，我都建议你重温一遍第 4 章“删除”中的观点，无论你是否已经把它们隐藏起来了。欲删，从速是更好的思路。

无论隐藏什么功能，都意味着你在用户和功能之间设置了一道障碍。这个障碍可能是遥控器上的塑料仓门，也可能是网站上一连串的点击。为了不给用户造成不必要的麻烦，必须仔细权衡要隐藏哪些功能。

隐藏部分功能
是一种低成本的方案。
但是，
到底该隐藏哪些功能呢？

不常用但不能少

那些主流用户很少使用，但自身需要更新的功能，通常是适合隐藏的功能。这些功能不会出现在“明确认识”那一章（第 2 章）提到的故事中，因为它们与用户的目标没有直接关系，不会因人、因地而异。

- 事关细节（例如，对服务器进行配置或设计电子邮件的签名）。
- 选项和偏好（例如，修改绘图应用程序的单位，由英寸改为厘米）。
- 特定于地区的信息（例如，时间和日期等需要频繁自动更新的信息）。

如果你的网站或应用程序中缺少了这些功能或控件，就会变得太通用，无法满足用户的个性化需求。

我们通常会发现“设置”功能在用户界面中会偏居一隅，与位于界面上方或中部的重要功能的地位不可同日而语。最好把它们放在一个开放的页面，或者放在所有页面中（不可能知道用户什么时候想要修改设置，因此最好把它们隐藏在网站的开始位置，或者应用程序的边缘）。

在寻找要隐藏的功能时，设置通常都是首选。设置与不常用的任务有很大的区别，因为后者一般会涉及外部目标（如给朋友发短信），而设置的目的则是让用户更好地使用软件（如自动为列表添加项目符号）。

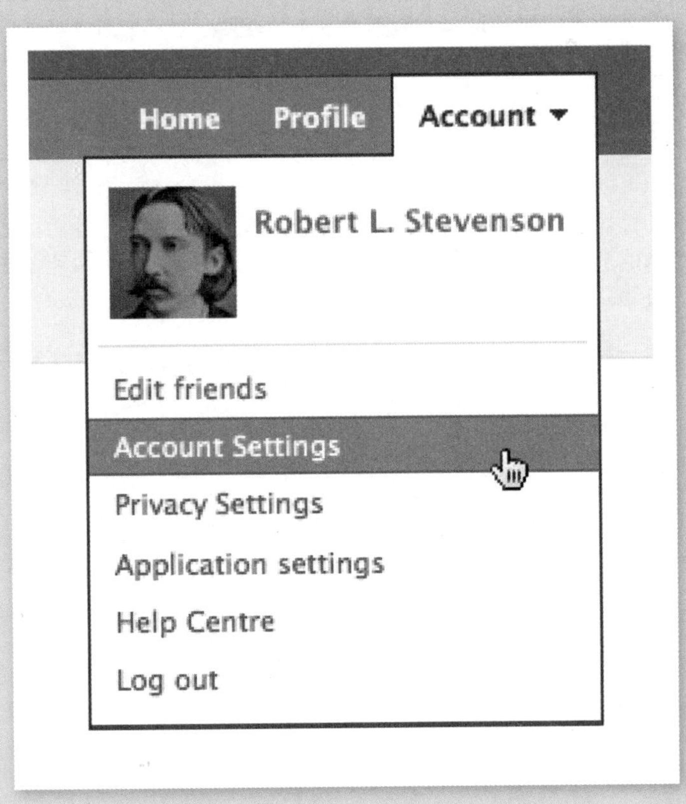

个性化设置不会经常改变，
因此非常适合隐藏。

自定义

我不太赞成让用户根据自己的需求来自定义界面。对我而言，这样做会显得设计人员懒惰，没有主见。

给用户自己选择的权力，这句话听起来似乎很公平，也很慷慨。但问题在于，自定义可能是一件非常耗费时间，也非常令人讨厌的事。如果有时间的话，你可以自定义微软 Word 中名目繁多的浮动面板和工具栏。那可是一项艰苦的工作，因为你必须知道怎样才能构建一个好的用户界面。更具有讽刺意味的是，在简化用户界面之前，你必须对这个软件中各种各样的功能了如指掌。

就算是用户界面简单，自定义起来也可能会很痛苦。我家的电视支持对节目单中的频道重新排序，也支持隐藏频道。这个功能很有用，因为默认的顺序完全是随机生成的。可是，重新排序或隐藏 60 几个频道，必须得按几百次遥控器。整个过程会让人精神麻木，很无聊。

主流用户确实想自定义自己的设置。但是，他们更感兴趣的是展示自己的个性——把计算机桌面换成自家狗狗的玉照，而不是重新设计用户界面。

如果用于自定义的工具很简单，如果用户只需添加几项即可完成自定义，如果不需要重排 N 项那么多，自定义还是很有价值的。

iGoogle 和 Facebook 是这方面的两个典型案例。不过，表达自我本身就是 Facebook 的一个核心理念。决定自己的简介中包含哪些内容，本身就是自我表达的一种方式。因此，用户不会感觉这件事很烦人。

如果用户会逐步作出一些改变，也可以使用自定义，比如，在智能手机上添加应用和混排图标。即便这样，时间一长，添加的东西越来越多，用户也经常会抱怨自己找不着北。

一般来说，不应该让用户去自定义他们的软件。文字处理程序的任务就是输入文字。筛选功能、决定显示或隐藏哪些功能，这些都是专家级用户的事。

让用户自定义自己的用户界面是假设用户知道如何布局最有效、最高效。

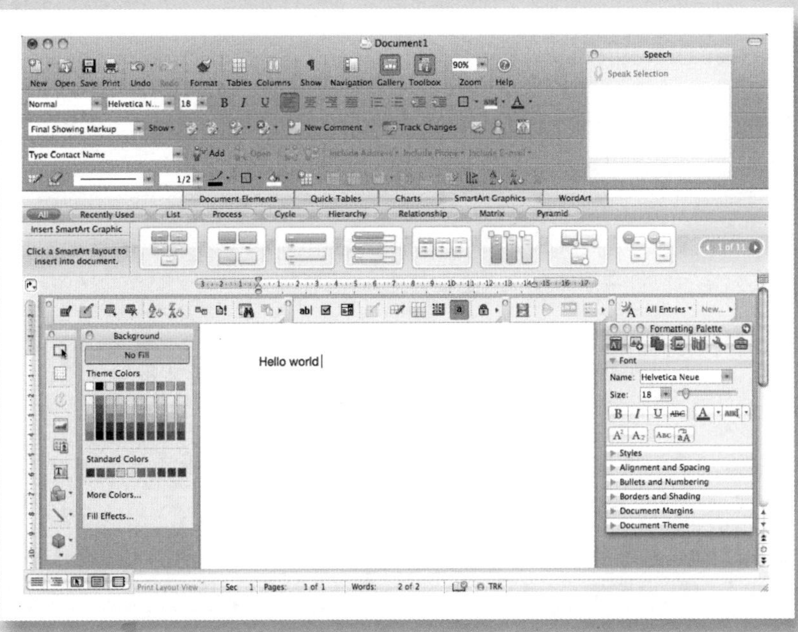

在 Word 里，
用户可以自定义所有这些按钮。
但是，
用户愿意在这上面花时间吗？

自动定制

有些程序会根据用户的行为自动显示或隐藏某些功能。

Microsoft Office 2000 的“自适应菜单”展示了这条路有多么崎岖难行。

这个菜单的核心思想，就是顶级菜单中只显示用户经常使用的一组命令。如果你把鼠标放在一个菜单上面等几秒钟，或者直接点击菜单底部的 V 字形图标，菜单就会自动展开，显示全部命令。

在使用这个菜单时，程序会记住你经常使用的命令，并对菜单自动调整，最终只显示你最常用的命令，隐藏其他命令。

记得有人在刚刚安装完 Office 2000 几天后（还是几小时后？），就挨桌打听怎么把这个功能禁掉（这可不容易）。微软直到几年之后才删除这项功能。类似地，BBC 也曾删除过一项自动定制其主页的功能。

自动定制不会让界面变得更简单，反而会把界面搞得很复杂，给用户带来极大不便。主要原因有三个。

- 很难保证默认菜单的准确性。虽然大多数人只会使用像 Word 这样的大软件中的一小部分功能，但每个人最常用什么功能差别非常之大。对某些人正确的，对另一些人可能就是错误的。
- 缩短菜单后，用户需要把每个功能看两遍才能确定——首先是看短菜单，然后再看长菜单。延长时间或多余的点击只会增加用户的反感。
- 用户最终不知道去哪里找自己想用的命令，因为这些命令的位置有可能会变。

除非你使用的算法非常完美（但完美是不存在的），否则通过把自己的界面变得复杂和不好理解而损害用户的自信，可以说是大错特错。

想象一下，如果你每天晚上睡着之后，都会有人把你的衣柜搬到不同的地方，你会作何感想？这其实就是自动定制功能令人讨厌的地方。

默认状态

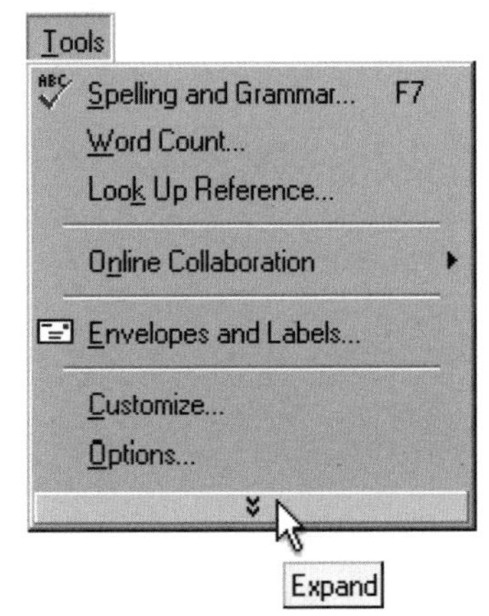
Tools
Spelling and Grammar... F7
Word Count...
Look Up Reference...
Online Collaboration
Envelopes and Labels...
Customize...
Options...
Expand

扩展之后

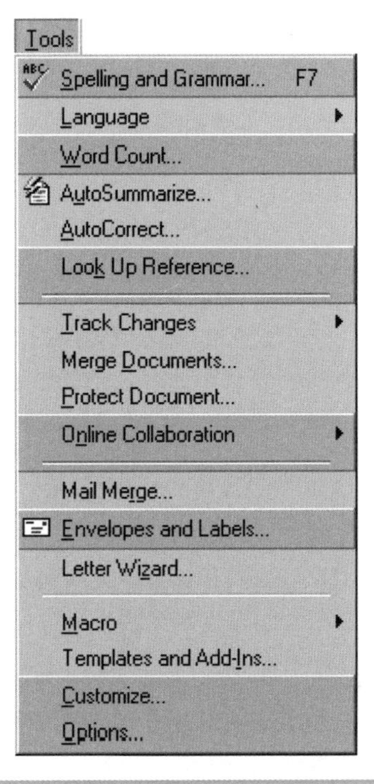
Tools
Spelling and Grammar... F7
Language
Word Count...
AutoSummarize...
AutoCorrect...
Look Up Reference...
Track Changes
Merge Documents...
Protect Document...
Online Collaboration
Mail Merge...
Envelopes and Labels...
Letter Wizard...
Macro
Templates and Add-Ins...
Customize...
Options...

渐进展示

通常，一项功能会包含少数核心的供主流用户使用的控制部件，另有一些为专家级用户准备的扩展性的精确的控制部件。隐藏这些精确的控制部件是保持设计简单的不错选择。

“保存”对话框是渐进展示的一个极好范例。保存，其核心功能无非就是要回答两个问题。

- 你想给文件起个什么名？
- 你想把它保存在哪里（在列表中选择）？

但是，专家想要的功能更复杂一些。他们希望能够在保存之前为文档创建新文件夹，希望在保存之前先搜索一下硬盘看哪里有空闲空间，还希望能够以其他方式来浏览硬盘并以某种特殊的格式来保存这个文件。

保存对话框刚一打开，应该只显示主流用户关注的核心选项。对于专家用户，可以单击扩展图标，然后在展开的区域内寻找自己想要的功能。

这个对话框可以记住你想使用哪个版本，而且将来会以该版本的面目出来。这样做好过自动定制，因为用户只是选择了界面如何显示。

这样做也比通常的自定义效果更好，因为用户在操作的同时就已经作出了选择，他们不必为创建某个菜单而单独执行一番操作。而且，主流用户也不会因此而被迫去自定义。

类似这种“核心功能加扩展功能”的模式，不仅能够简化设计，更是一种强大的交互手段。比如说，主流用户都知道在计算机中按鼠标左键可以执行操作，而专家用户则知道按鼠标右键可以调出更多的选项。

谷歌的高级搜索功能包括关键字搜索、站内搜索、布尔搜索、仅对特定语言搜索、区域搜索、限定页面链接和文件类型的搜索，支持时间范围、版权限制、关键字优先次序、“安全”搜索和比较搜索。当然，主界面中能看到的只有关键字搜索，其他选项都隐藏起来了。用户测试会告诉你这样做对不对。

对于用户期望的功能，要在正确的环境下给出明确的提示。

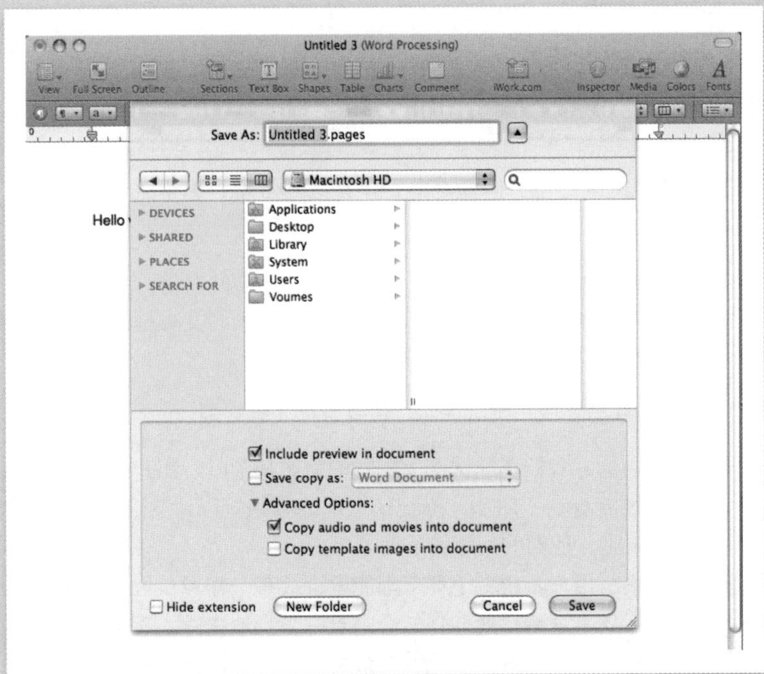
Untitled 3 (Word Processing)
View
Full Screen
Outline
Sections
Text Box
Shapes
Table
Charts
Comment
iWork.com
Inspector
Media
Colors
Fonts
Save As: Untitled 3.pages
Macintosh HD
DEVICES
SHARED
PLACES
SEARCH FOR
Applications
Desktop
Library
System
Users
Voumes
Include preview in document
Save copy as: Word Document
Advanced Options:
Copy audio and movies into document
Copy template images into document
Hide extension
New Folder
Cancel
Save

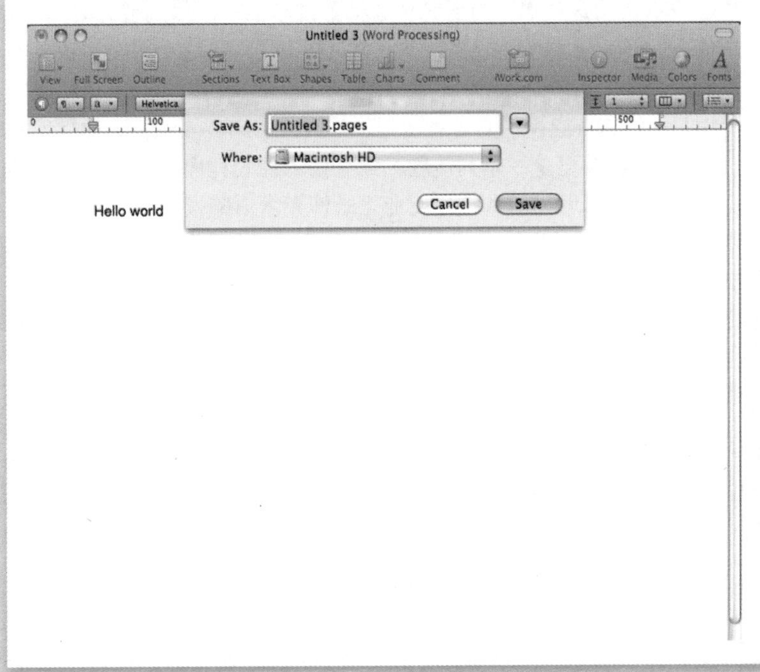
Untitled 3 (Word Processing)
View
Full Screen
Outline
Sections
Text Box
Shapes
Table
Charts
Comment
iWork.com
Inspector
Media
Colors
Fonts
Helvetica
Save As: Untitled 3.pages
Where: Macintosh HD
Cancel
Save
Hello world

阶段展示

除了在软件中的某个部分隐藏功能，还可以随着用户逐步深入界面而展示相应的功能。

如果所有用户都会随着搜索的深入而寻找较为复杂的功能，那么就可以使用阶段展示。例如，用户一开始可能只会使用简单的文本框来搜索，如果效果不好，他还会在结果界面上寻找筛选和排序选项。

登记表单通常都需要使用阶段展示，但要遵循几条规则。

- 设定一种场景。我们在测试网上购物的结账环节时，用户提出从购物车到结账的过渡有点不对头。当把该过程的开始冠以“欢迎安全地付款”这样的字眼时，他们的问题就不见了。
- 讲一个故事。用户希望每个环节都能像讲故事一样层层展开，在理解了这是个什么故事之后，他们自然会跟着一步步地去做。我测试过一个在线下订单的网页，该页面上来就要求用户输入他们的名字和地址。管理人员解释说，这是为了即使后面出了问题，我们也能够联系到客户。但是客户不认同这一点。当所有环节都如讲故事一般依次展开时（“你想干什么？好，接下来我们要到下一个页面去了”），这个网站的转换率开始有了明显增长。
- 说用户的语言。之所以有各种流程，是因为用户必须遵从某种行政程序（比如申请护照要走一系列流程）或者技术性的程序（如配置调制解调器），而行政管理领域和技术行业正是许多术语的发源地。对于业内人士，行业术语简洁明确。但对外行来说，一个看不懂的词，要比一段能看懂的话还复杂。
- 把信息分成小块展示。如果这个块太大，用户会认为表单很复杂。如果把表单切分成过多小块，用户又会觉得表单太琐碎太麻烦。因此，每个块必须完整而又自成一体（例如，不能把地址分到两个屏幕上）。

向导是一种阶段展示的形式，但却经常违反上述所有规则：不会讲故事、使用术语却不给出解释、重点不突出、缺乏场景感、信息块不是过大就是过小。

在流程中的每一步都符合用户心理预期的情况下，阶段展示的效果最好。

一旦搞错，
用户的感觉就像是
被推下了滑梯。

适时出现

不久前，我看《纽约时报》时发现了下一页上的文字：

> 这是整个城市都休克的一周，两节期间，纽约的主要公共场所——学校、法院、媒体、华尔街、市政厅、皇后区的酒肆（bodegas）——全部放假或关门大吉。

作为英国人，我的第一反应是："什么是 bodegas？"于是，我按照惯例用鼠标选中这个词，准备把它复制粘贴在 Google 里。奇怪的现象发生了：选区的后面出现了一个问号图标。点击这个图标，一个窗口弹出来，给出了这个词的定义（bodegas：杂货店，常兼营酒类。多见于西班牙居民区）。同样，选中文章中的其他词也都会出现问号图标。不管你选中"媒体"（media）、"活力"（animation），还是"这个"（the）、"一个"（a），每个词都给出了定义。

这种设计的聪明之处在于它隐藏了功能，该功能会在你需要时出现在合适的位置上。

但是，隐藏得如此之深却需要极大的勇气。设计团队一定会担心有用户永远不会知道他们还提供了这么一项功能："我们也遇到过类似的麻烦，因此有必要向用户展示这项功能。"

过分强调隐藏的功能会导致混乱。想想看，如果《纽约时报》没有把它的词典功能隐藏得这么好，会出现什么情景。

如果他们在正文中加入超链接，肯定会分散读者的注意力，惹得读者不高兴；如果他们为每个词都加上超链接，页面就会变得一团糟；如果他们只挑出个别的词，就要投入人力和财力去编辑每篇文章，最终确定有必要给哪些词加解释。只要他们试图炫耀这个功能，就会把自己拖入混乱、难看、成本高昂的泥沼。

悲剧的是，大多数设计都采取这种错误的思路来隐藏功能。这就好像把 DVD 遥控器上的按钮藏在玻璃仓盖底下一样。

《纽约时报》的方案说明了什么叫做成功的隐藏。首先，尽可能彻底地隐藏所有需要隐藏的功能。其次，只在合适的时机、合适的位置上显示相应的功能。

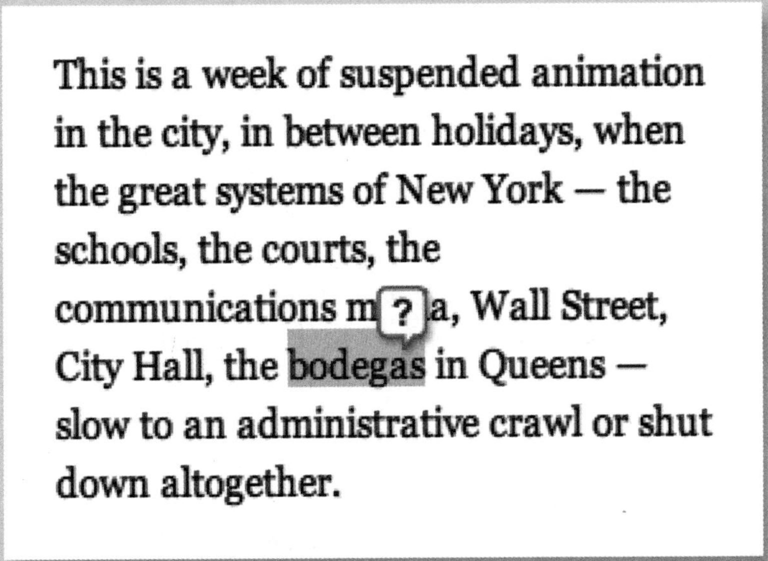

This is a week of suspended animation in the city, in between holidays, when the great systems of New York — the schools, the courts, the communications m?a, Wall Street, City Hall, the bodegas in Queens — slow to an administrative crawl or shut down altogether.

《纽约时报》提供的字典功能
在选择单词之后才会显示。

提示与线索

为隐藏的功能选择一个标签似乎并不是件容易的事。应该怎样介绍那些被隐藏在幕后的复杂且微妙的附加项呢？

我们经常可以看到为隐藏功能打上的标签，如含糊其辞的“更多”，或者类似谷歌高级搜索那样高高在上的字眼——“高级”。虽然这些方案很常见，但并不理想。隐藏复杂性的一个原因，就是不想让用户产生自己什么都不懂的感觉。而为按钮打上“高级”的标签，显然就是在喝斥用户：你不配使用这项功能！这种感觉可不好。

可以只对特定的用户使用一个标签。如果你看一看某些计算机制造商的网站，就会发现里面充斥着各种技术概念。我就见过有主流用户看到二级缓存、主板频率之类的字眼时感觉非常无助，但这些术语对业内人士却是司空见惯的。

苹果公司的网站清新简约，具有杂志风格，非常适合主流用户。但在页面的一个角落里，有一个链接叫“技术规格”。主流用户关注的只是产品图片和重要新闻。对那些真想了解图形处理器的用户，点击该链接就可以打开相关页面。这些用户对类似的术语和行话了如指掌，可主流用户并不关心这些。

Adobe Illustrator 的解决方案更为巧妙。有些具备高级特性的绘图工具在工具箱中会以一个小三角形图标表示。单击一次选择基本工具，单击并按住鼠标不放就会看到高级选项。

这种处理方法的优点在于，它采用了应邀探索设计模式，而非一个试图介绍更多功能的标签。这种方法的针对性特别好：调出高级工具的上下文，能够让用户清楚地知道高级工具与基本工具能够完成类似的任务。专家比较喜欢这种邀请方式，因为他们本来就愿意探索和学习。主流用户也乐得在将来有了信心或者有需要时，再来探索相关的高级工具。没有一个选项是不恰当的。

隐藏处理得好的界面会给人一种优雅的感觉：界面中包含的线索尽管细微，却能恰到好处地提示出隐藏功能的位置和功用。

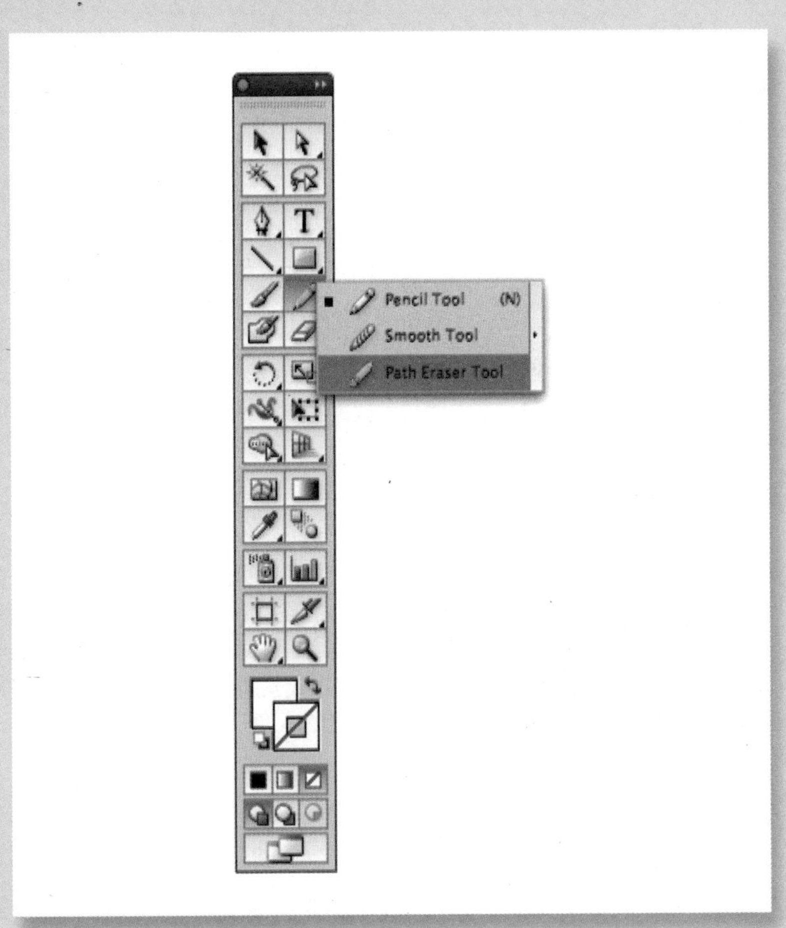

细微的线索
足以提示出隐藏的功能。

让功能容易找到

把标签放在哪里比把标签做多大要重要得多。

Skitch 和 Comic Life[1]的设计者基思·朗（Keith Lang）曾举过自己产品中的两个例子。“我们也为 Skitch 设计了高级功能，用户按住键盘上的一个键就可以看到这些功能，”他说，“当时我们想对这些功能给出提示，只要用户使用工具栏，屏幕上方就会弹出一个显示帮助信息的对话框。但大多数用户都说看不见这个对话框，虽然对话框已经很大了。后来，在设计 Comic Life 时，我们就在其中一个工具面板中使用了小标签，用以说明每个工具的用法，效果很好。”

杰夫·拉斯金（Jef Raskin，Macintosh 最初的发明人之一）所说的“用户关注点”（locus of attention）——用户关注的屏幕区域，正是导致上述差别的关键。

用户在一开始端详屏幕或者新建一个任务时，他的关注点很宽泛。根据眼球追踪研究的结果，当用户打开一个新站点时，他会扫视整个屏幕，而当用户专注于一项任务时，他的关注点就会聚焦。研究表明，用户会盯住屏幕中的一两个区域，或者在作出判断之后，再开始阅读正文内容。在遇到问题时，他们会更多地关注屏幕上的问题区域。（在 *The Human Interface* 一书中，Raskin 引用这个观点来说明为什么用户找不到所需的帮助：他们在遇到问题的时候，过于关注屏幕上的那个问题区域了。）

基思·朗从 Skitch 的设计得出的教训是：就算标签再大，如果把它放到了用户关注点之外，用户也看不到。而在 Comic Life 中，他发现即使是一个非常小的标签，只要把它放在了用户关注点上，也会收到良好的效果。

在前面《纽约时报》的例子中，那个问号图标正好出现在我选择的单词上方、我的关注点上。虽然那个隐藏的功能有点出乎意料，但我绝对会看到它。

---

① Skitch 是 Mac 平台的截图绘图软件，Comic Life 是获得 2010 年最佳 Mac OS X 新产品奖的动画制作软件。——译者注

保证用户在前进的过程中
能够遇到提示。但，
不要挡住他们的去路。

隐藏的要求

使用隐藏策略必须做到以下几点。

- 隐藏一次性设计和选项。
- 隐藏精确控制选项，但专家用户必须能够让这些选项始终保持可见。
- 不可强迫或寄希望于主流用户使用自定义功能，不过可以给专家提供这个选项。
- 巧妙地隐藏。换句话说，首先是彻底隐藏，其次是适时出现。

到目前为止，我们讨论的三个策略——删除、组织和隐藏——可以非常完美地结合起来：删除不必要的、组织要提供的、隐藏非核心的。不过，接下来我们要讨论的最后一个策略，转移，则涉及对界面进行重新布局。

只要不让人找太久，
隐藏就是有效的。

第 7 章

转　　移

转移

简化 DVD 遥控器的第四个策略其实是一种“骗术”。

采用这种手段的设计者把遥控器上的按钮精简到只剩下了少数几个最基本的，如播放和暂停。被精简掉的按钮全部通过电视屏幕上的菜单来管理。遥控器本身则变得小巧可爱，简单易用。

这个策略还有另一个好处，就是让遥控器使用起来非常方便。遥控器上需要用户熟悉和记住的按钮只有那么几个，通过手指很容易区分。晚上观看 DVD 的时候，即便是在黑暗中也不会按错。

而且，利用现有的电视屏幕要比在遥控器上增加液晶板便宜不知多少倍。电视屏幕作为转移目标也非常合适。屏幕上可以放置几乎无数个菜单，唯一的限制就是菜单字体不能太小，否则用户可能看不清楚。

当然，这种方法也有缺点。如果把所有功能一股脑都转移到屏幕上，那很难想象留下一个孤零零的遥控器还有什么意义。这时候，必须先在菜单中找到并执行播放命令，而这种操作方式说说都让人觉得麻烦。这正是大多数设计者会在遥控器上保留几个按钮的原因。

还有一个问题，就是虽然你简化了遥控器，但如何把屏幕菜单设计得简单易用又是一个挑战（别忘了运用删除、组织和隐藏策略）。

不过，只要你能恰当地把握这个度，能把合适的功能转移到合适的设备上去，这个策略还是很有效的。设计简单体验的一个秘密，就是把正确的功能放到正确的平台或者正确的系统组件中去。

为什么不把一些按钮精简掉，
让屏幕菜单取而代之呢？

在设备之间转移

有些功能在有的平台上简单，而在其他平台上就会变复杂。

RunKeeper 是一个 iPhone 应用，也是一个网站，可以记录用户跑步的路线。在 iPhone 上面，记录一次跑步很简单，只需在应用里点一下开始，然后把手机装到口袋里即可。跑步的过程中，应用就会实时生成一幅地图，其中包括你跑到了哪儿，总共跑了多远，每一英里所用时间，你翻过的每个坡道的剖面，以及大约消耗了多少卡路里。捕获这些数据只需再按一次按钮。

可是，手机的小屏幕上根本显示不开应用所记录的与一次跑步有关的所有信息。

如果是在 RunKeeper 网站上输入数据，那么可以把上面提到的大多数（不是全部）信息填入表单。但在地图上绘制出一条路径和填写那么多表单字段则要花很多时间。

在查看数据时，这个手机应用不会显示与跑步有关的所有数据，它只会显示一个简单的摘要。而专门为电脑大屏幕设计的网站，则有足够的空间显示更多数据。此时，坐在桌子前面，通过大屏幕可以很容易地查看到各种细节信息。

RunKeeper 利用了这两个平台的优势。按时间段收集信息对手机而言是小菜一碟，因此由手机来负责。然后，你可以通过网站来查看相应的时间，大屏幕上有足够的空间显示这些信息。结果就是整体体验简单了。

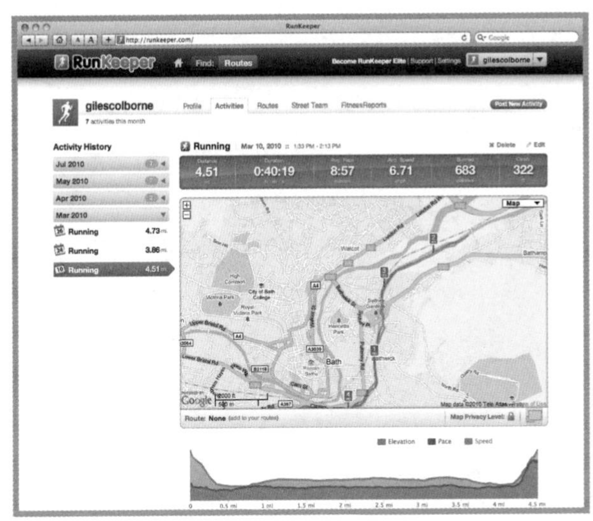

手机上的 RunKeeper 应用
最适合记录数据，
而网站最适合浏览这些数据。

移动平台与桌面平台

随着技术的不断进步，移动设备的某些限制也会发生变化。不过，任何设备都有自己的长处和不足。有时候，把某项任务的某些部分（如输入信息）转移到不同的平台上可能是一种更好的选择。

移动平台	桌面平台 / 笔记本
可以拍摄任何景物	只能拍到用户（通过网络摄像头）
输入少量文本	输入大量文本
很难加快数据传输速度	能适当加快数据传输速度
显示少量信息	显示大量信息
保存适量信息	保存大量信息
随时随地使用	只能坐下来使用
能够精确识别位置和方向	只能在某种程度上标识位置
通过无线网络连接到其他设备	通过有线和无线网络连接到其他设备

今天的移动设备非常适合记录
用户的所见所闻和移动路线，
但通过它输入大量文字则不方便。

向用户转移

大约 10 年前，有一家旅游网站请我帮他们设计一个旅行规划程序。规划假期的行程很复杂。旅行者的时间有限，但通常也有一定的伸缩余地；他们的预算不多，但同样也不是不能变；他们住在特定的地点，但希望自己能周游四方；他们兴趣各异，但也经常期望新奇的体验。换句话说，一切都是可以争取的。

我认为旅行规划其实就是规划时间和空间，因此我的智能型旅行规划程序就从一张地图开始。我打算请用户在地图上选择心仪的地点，如爱丁堡城堡或伦敦科学博物馆。用户可以看到自己在每个地方能待多长时间，然后把选中的地点放在预定行程中，并且可以对旅行顺序进行重排。这个智能型规划程序还将提供旅行时间、就餐和住宿等信息。这样用户就会知道自己怎么安排一天的行程，如果安排过满还会看到提醒。

程序做完之后，用户反馈很差。虽然我是按照一个开放型任务来设计的，但他们还是觉得限制太多了，因为这个智能型旅行规划程序在不断地评判他们的规划。这个程序最终没有上线。

几年后，我很幸运地又被邀请去重新设计该程序。这次我采取了剥皮策略。我让用户创建文件夹，随意给文件夹起名，然后可以往里面放他们想要的任何东西。

用户为文件夹起的名字有些是我预料之中的（如周几、地点之类），还有一些是我没想到的（如“10 英镑以下”、“雨天”），不过都很有道理。

看到用户自己设定好自己的标准很令人兴奋。每一位用户都能做出适合自己的规划。有的制定了精确的行程，有的只列出了几个想法。从外人的角度看，其中有些规划很复杂，但这些规划对提出它们的用户来说却是合适的。

制定旅行规划的复杂之处在于对模棱两可情况的处理。但简单的界面把这项复杂的工作留给了用户。我已经把复杂性转移到了每一位用户的头脑中。

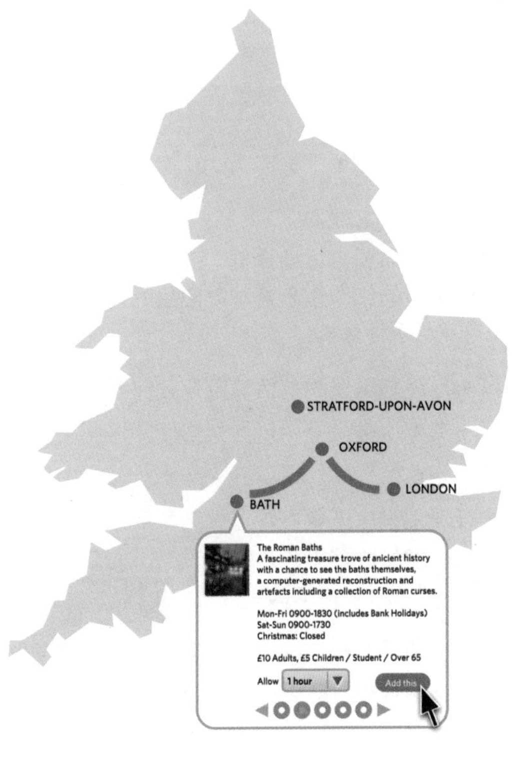

STRATFORD-UPON-AVON
OXFORD
LONDON
BATH
The Roman Baths
A fascinating treasure trove of anicient history with a chance to see the baths themselves, a computer-generated reconstruction and artefacts including a collection of Roman curses.
Mon-Fri 0900-1830 (includes Bank Holidays)
Sat-Sun 0900-1730
Christmas: Closed
£10 Adults, £5 Children / Student / Over 65
Allow
1 hour
Add this

我的旅行规划

地点	活动	时间
Bath	Excelsior Hotel	N/A
Bath	The Roman Baths	0930-1130
Bath	Train to Oxford	1042-1153
Oxford	The King's Head	1230-1400
Oxford	Punting	1415-1515
Oxford	Ashmolean Museum	1530-1700
Oxford	Train to London	1722-1835

没有足够的时间。请删除活动或缩短时间。

星期二

孩子的东西

旅行折扣

用户最擅长做什么

基本型旅行规划程序之所以让人觉得简单，是因为它让用户和计算机各自去做最擅长的事。

计算机擅长精确地保存各种信息。只要告诉计算机一次你的电话号码，它就永远不会忘记。让人来记住类似的细节信息是难以想象的。基本型旅行规划程序于是就把记忆的任务交给了计算机。

计算机擅长精确地计算。但旅行规划需要的是估算以及如何安排一天的行程，这两件事最适合人来做。于是，基本型旅行规划程序就把制定规划的工作留给了人。

人喜欢控制结果。智能型旅行规划程序逼着用户去做某种规划。如果行程安排太满，它会给出警告消息；如果活动太少，它又感觉不完整。而基本型旅行规划程序则把行程安排得满还是不满的决定权交给了用户。

基本型旅行规划程序把制定目标和组织记录的工作留给了用户。这些对计算机来说是复杂的任务，对于人而言却是轻而易举的。因此，基本型旅行规划程序才会让人觉得简单。

智能型旅行规划程序试图设定目标并强迫用户以某种特定的方式来组织信息。因此，使用它的人会感觉很复杂。

让用户感觉简单的一个重要前提，就是先搞清楚把什么工作交给计算机，把什么工作留给用户。

人	计 算 机
设定目标和制定规划	执行程序
估算	精确计算
辨别信息	存储和检索信息
做图表	复制
在包含少数项的列表中选择	对大型列表排序
做预算	度量
想象	交叉引用详细信息

用户指挥，
计算机操作，
就会给人简单的感觉。

创造开放式体验

聪明设计师的简化秘诀中经常有一条，就是让一个组件具有多种用途。比如说，汽车后挡风玻璃的加热电阻丝，同时也是收音机天线。

在软件设计中，让某项功能具有多种用途也是一种简化之道。至于用这项功能来做什么，就留给用户决定好了。

举个例子，你注意过亚马逊之类的站点提供了多少种保存商品的方式吗？你可以把一件商品放到购物车中，以便将来把它从购物车中拿出来，放到"保存商品"中或添加到意向清单中，或者专门为结婚典礼或生日派对建立一个清单。

这些功能分别有着不同的用途，比如把意向清单发给朋友。但在大多数情况下，这些功能只做一件事：保存商品，以便将来购买。

用户必须了解多种功能，记住自己使用了哪个功能保存商品，以及如何找到上次保存的商品。

对于网上商店来说，也需要做很多工作：维护代码、提供帮助和技术支持、确保所有功能正常，以及在网站中找到安放这些功能的合适位置。

每当我看到类似这样的功能时，我都会考虑是不是可以把它们组合到一个通用的工具里面。

想象一下，如果把这些清单都放在一个地方——比如购物车中的几个文件夹里，你可以给不同的文件夹起不同的名字（婚礼、生日、旅游书），然后选择是不是让朋友也能看到这些文件夹。这一项功能就可以完成四项工作。

当然，提醒用户这项功能有多种用途也很重要。但只要告诉用户可以给自己的清单起不同的名字，就足以让用户想到如何利用这项功能了。

把相似的功能绑定到一起，这种简化方式非常巧妙。虽然多合一的功能不一定能完美实现各种用途，但却具有明显的优点：找一个功能总比在几个类似功能中选择容易，学习一个功能也比学习多个功能容易，且一个功能更容易维护。

在有些汽车中，
给后挡风玻璃加热的电阻丝，
同时也是收音机天线。
这是简化设计的一种方法。

菜刀与钢琴

简单界面的最高境界，应该是专家和主流用户都会感觉它非常好用。

就拿菜刀来说吧。即使从未下过厨房的人，第一次拿起菜刀也能切出“能够接受”的土豆片。但作为专家的厨师，则可以使用同一把刀进行各种“精确控制”——快速切丝、雕刻花样，等等。刀还是那把刀，但专家的技术把它变成了专家级的工具。

钢琴不也一样嘛。一位初学者在未经过任何训练的情况下，照样能弹出曲调来，可能还会告诉你他感觉非常简单。而一位钢琴演奏家，可以轻松自如地弹出奏鸣曲。区别就在于他们的技术水平。

这些体验之所以让人觉得简单，就是因为专家和主流用户可以分别设置自己不同的目标。根据以往的经验，实现这个目标需要怎么做，他们自己心里非常清楚。如果非要一个人弹奏超出他训练范围之外的曲目，弹钢琴就成了一种折磨。

这一点与简单型旅行规划程序的开放体验是相同的：无论是专家还是新手，都感觉用起来很简单。让用户自己定义成功（可能是完整的旅行规划，也可能是一堆零散的想法）很重要。我们要做的，就是为他们提供一个简单的工具，让他们能自由发挥想象力，最终帮他们达成目标。

这些界面有时候可能并不适合中级用户，中级用户能够看懂专家所做的一切，但以他们的技术水平又做不到。这就解释了为什么像洋葱切丁机、打蛋器之类的厨房用具，以及能够自动混入伴奏音乐的电子琴会受到欢迎。

这些产品能够提供技术辅助，但价格各异。想象一下，如果厨房里净是些电动切菜设备，但却没有菜刀，会是怎样的情景。

开放性界面的秘诀在于，尽量减少仅适合中级用户的“便捷”特性。

菜刀符合专家和主流
用户的预期和需求。

非结构化数据

填写表单是一件令人讨厌的事，经常让人觉得死板无聊，而且还非常复杂。导致这种局面的一个主要原因，就是表单设计者试图让用户输入具有某种格式的信息。他们收集这种格式化信息的目的是为了让软件处理起来更方便，或者是因为某些死板的行政办事程序的要求。

要解决这个问题，应该让用户自己决定输入什么格式的数据。37signals 的基本任务列表网站 Ta-da List 就是这方面的一个例子。创建者指出，他们有意让数据输入项很简单，例如，没有输入截止日期的专门字段。他们发现，如果用户需要输入截止日期，他们会在相应任务的描述中加上“截止到 1 月 27 日”之类的字眼。

在用户十分了解自己要输入什么信息的情况下，这种手段尤其奏效，而且，还显得简单、开放和“人性化”。不要让用户填写结构化的表单。

如果收集到的数据需要使用计算机来处理（例如，需要对数据按照日期进行排序），那么数据必须是结构化的。不过，计算机有能力识别并将用户提供的数据结构化。

有的电子邮件程序会在邮件中查找“下周二”或“1-800-654-3001”这样的字符串，然后将它们转换成一个可以点击的链接，并在用户的日历中创建一个约会日程，或者在用户的手机上拨出相应的号码。

用户可以用任意格式和人类语言来写邮件。计算机负责发现邮件中是否有需要结构化或进行后续操作的数据。

我曾遇到过一个最令人讨厌的表单，该表单要求我在输入信用卡信息时不能使用空格，而且不让我在电话号码中使用括号。实际上，只要编写几行代码，就可以在后台解决这些问题——这完全是那些公司在强迫客户不折不扣地遵守他们的数据格式规则，是懒惰和无礼的表现。

让计算机负责完成数据的结构化工作，用户体验就会简单多了。

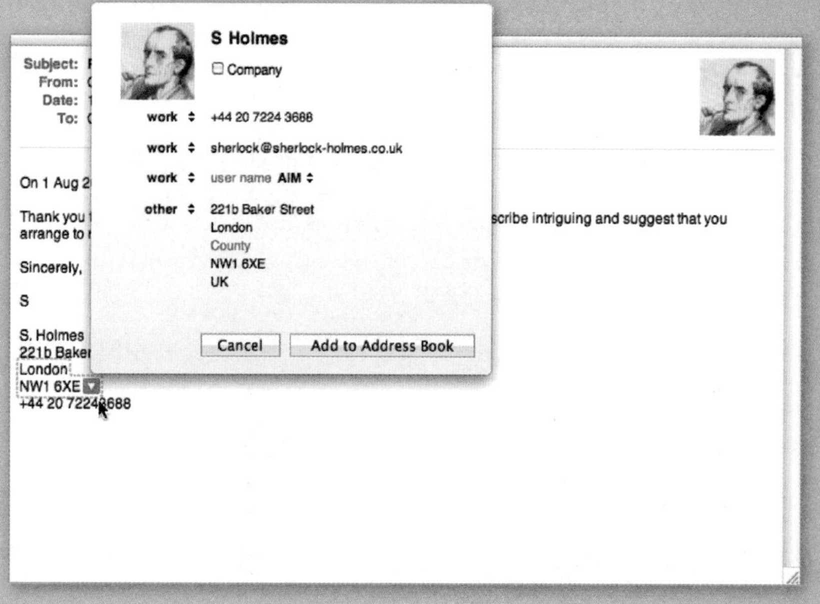

苹果的“数据检测器”
能够在邮件中找到地址，
并提醒你
将其添加到通讯录中。

信任

如果把一组任务分解为两部分，分别交给两个设备来完成，而且这两个设备必须以某种特定的方式配合使用，那么这种情况下最容易实现任务的转移。DVD 遥控器必须与电视机一起配合使用，因此哪个设备做什么很容易分清。

在难以分清设备之间如何协同工作时，要实现功能的转移是比较困难的。

比如说，你就分不清 RunKeeper 手机应用和网站是怎么分工的。有些人可能没有手机，只想使用网站。有些人可能死心眼，只愿意使用自己的手机。还有一些人可能这两种偏好兼而有之。

当面对这种不确定性的时候，你就会在两个平台上重复相同的功能。RunKeeper 正是如此，只有极少的功能是在网站和手机之间转移的。

要想有效地实现功能转移，必须找到一种确定的感觉。

如果想把任务转移到用户一方，你必须相信用户有能力完成该任务。

相信用户是非常困难的。设计人员习惯于注意用户测试中的失败案例。开发人员习惯于想象各种系统出错的情景，进而编写预防错误的代码。产品经理希望为用户提供交互式工具，让工具来处理各种麻烦的任务。但有时候，编写软件的一个没人肯明说的目的，就是要让用户的种种行为都对设计人员更有利。

换言之，我们经常把用户看成孩子。但在保护用户不受错误干扰，或者说应该让他们自己找出解决方案的时候，我们习惯于剥夺他们自己的决定权。这也就难怪用户会反对或憎恨计算机了。

构筑信任关系的唯一方式，就是让用户参与测试原型或实物模型。在能够正确地把握如何分配任务之后，让用户专注于选择和指挥，让计算机专注于存储和计算。这样你就能够创造出简单而令人惊叹的体验，因为用户能够充分发挥自己的创造力了。

简单的体验需要信任。计算机之所以搞得用户不舒服，就是因为它们总是控制和指挥用户。

第8章

最后的叮嘱

顽固的复杂性

简化设计的过程有时候颇似玩“打地鼠”游戏。这边刚按下复杂性的“脑袋”，那边又冒出了头。

就说第 4 章里举的那个银行对账单的例子吧。原先的设计是让用户选择月和年，然后向银行提出查看对账单的要求。这个过程对编写程序的人来说很直观，但由于容易选错，用户就会觉得比较难用。

在修改后的设计中，用户可以直接从一组可用的对账单中选择。这样不仅让人感觉简单，而且不容易出错。当然，编写代码的人可就要麻烦一些了，同时也会给银行的服务器带来更多的负载。

拉里 · 泰斯勒（Larry Tesler）还在 Macintosh 开发团队的时候，就在他的“顽固的复杂性法则”中指出：

> 任何应用程序都会有一些无法消除的复杂性。关键的问题在于：谁会面对这些复杂性？

到了设计简单用户体验的最后，往往不是问“怎样才能把这个功能设计得更简单”，而是问“到底应该把这个复杂性放到哪里”。

- 这个任务应该是自动化的（像 Flip 的自动对焦功能），还是应该由用户来控制（如 iPhone 中通过触摸屏幕来对准相机的焦距）？
- 界面中是应该包含很多功能特定的按钮（像高保真音响），还是只放一些通用的按钮（像 iPod）？
- 这个任务是应该一次完成（如登录 Facebook），还是应该分几段时间来完成（像定制 Tumblr 博客）？
- 这个任务是应该让用户有意识地去处理（如使用屏幕上的控件来筛选搜索结果），还是应该在无意间完成（如查看伦敦地铁图中的绿色线路）？

创造简单用户体验的秘诀就在于把复杂性转移到正确的地方，让用户每时每刻都能感受到简单之美。

到了最后，
顽固的复杂性会让你觉得
“按下葫芦浮起瓢”。

细节

最近一次去巴黎的时候，我下载了一个手机应用，以备查询地铁线路。在这个应用里，我输入起点和终点，它就能帮我计算出最佳路线，告诉我先坐几号线，然后再在哪一站换乘几号线，预计需要多长时间。在走进地铁站之前，我一直觉得这个应用很棒。但进了地铁我才发现它漏掉了一个重要的细节。

这个应用没有告诉我应该坐开往哪个方向的地铁，而这个方向在巴黎地铁中是用该线路的终点来表示的。于是，在人来人往摩肩接踵的地铁通道中，我不得不用手指在手机屏幕上拖来拖去，急切地寻找当前这条线路的终点站，好迈出我巴黎地铁之旅的第一步。简单通常要有细节来支撑。

缺少细节的后果可能是灾难性的，也会让用户心中的怒火越烧越旺。在解决一些细节问题时，经常有人会说：这有必要吗？花半天时间解决这些下拉菜单的问题只是为了节省用户几秒钟时间，你说有必要吗？

对于面向大众的软件产品来说，用户远远不止一个，而是数以千计的，有时候甚至是几十几百万用户每天都要使用你的软件。每个用户的几秒钟累积起来可能就是几年时间。设计中微小的瑕疵都可能变成永远挥之不去的烦恼。花上半天时间重新设计一个解决方案，解决看似微不足道的小问题，也许就能把成千上万次愤怒的用户投诉消弭于无形。

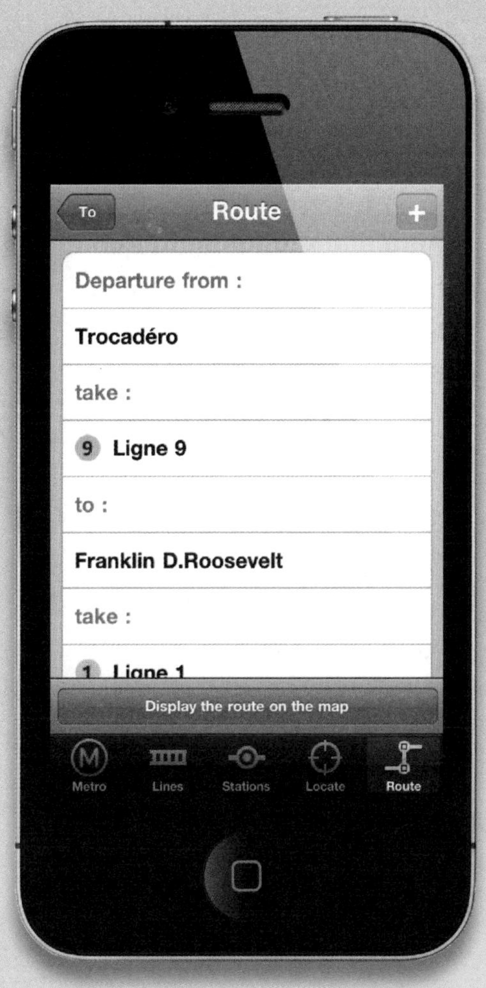

坐 9 号线——
可是朝哪个方向坐呢？

简单发生在用户的头脑中

如果你在电脑中打开了很多程序，每个程序都会运行得非常慢。人也一样。想让我们记住的信息太多，我们总会忘记一些；想让我们完成的任务太多，我们总会遗漏一些；想让我们做的决定太多，我们的大脑可能会停滞。

让软件具有可用性，意思就是绝不能超出用户的能力范围。可是，用户总是想拥有更详细的信息、更多的选择、更多的功能——这是人类的本性。因此，好像我们应该尽可能朝着最大化的方向努力——然后在快要给用户带来麻烦时戛然而止。

设计简单体验不能这样。这种设计思想会导致用户手里大量的功能闲置。那些“从未使用过的”功能怎么办？

一家旅行社曾找到我们公司，请我们对比一下在线查找假期旅行线路和查阅手册的用户体验哪个更好。看着用户在网站中披荆斩棘、艰难跋涉，查看详细信息和各种线路，我们深深地体会到他们有多么焦急和烦躁。

手册就简单多了：度假胜地的大幅照片，加上热门线路的显眼标识，还有完整的报价表。在翻阅手册的时候，用户非常放松，能够想象度假时的美好感觉。他们都自我陶醉了。

简单的体验应该为用户留出足够的空间，让他们能够想象到当前正在做的事情同样也是自己生活的一部分。

Flip 这样简单的相机能够让用户专注于按下快门的那个瞬间，简单的 DVD 遥控器则可以让用户心无旁骛地沉浸于影片的故事情节。

不要让你的设计干扰用户的思绪。简单的设计能够为用户留出足够的空间，他们会用自己的生活来填充这些空间，从而创造出更丰富、更有意义的体验。

给用户留下足够的想象空间。

图 片 致 谢

第 1 章

第 3 页，承蒙 iStockphoto 惠允，© Patrick Herrera，编号 10735105
第 5 页，承蒙 iStockphoto 惠允，© Robert Kirk，编号 8431387
第 7 页，承蒙 iStockphoto 惠允，© Skip O'Donnell，编号 4361374
第 9 页，承蒙 iStockphoto 惠允，© Arpad Nagy-Bagoly，编号 8480195
第 11 页，由 Streetfly JZ 提供（橙色的椅子）
第 13 页，承蒙 iStockphoto 惠允，© Nuno Silva，编号 1147364

第 2 章

第 19 页，承蒙 iStockphoto 惠允，© Nicolas Loran，编号 11122181
第 21 页，承蒙 iStockphoto 惠允，© Bart Coenders，编号 6228113
第 23 页，承蒙 iStockphoto 惠允，© Scott Hortop，编号 9697386
第 27 页，感谢 Johan Visschedijk，1000aircraftphotos.com
第 29 页，由 Iain J. Watson 提供
第 35 页，承蒙 iStockphoto 惠允，© Matthew Porter，编号 3391573
第 37 页，承蒙 iStockphoto 惠允，© Michael Lok，编号 527184
第 39 页，承蒙 iStockphoto 惠允，© Ola Dusegård，编号 11068369
第 41 页，承蒙 iStockphoto 惠允，© Narvikk，编号 5521746
第 43 页，承蒙 iStockphoto 惠允，© Quavondo，编号 8223968
第 45 页，承蒙 iStockphoto 惠允，© Andrew Johnson，编号 7315616
第 47 页，承蒙 iStockphoto 惠允，© Muhammet Göktas，编号 7038165
第 49 页，承蒙 iStockphoto 惠允，© Joshua Hodge Photography，编号 12818260
第 51 页，承蒙 Ben Stanfield 惠允
第 53 页，承蒙 iStockphoto 惠允，© Santa Maria Studio，编号 11326374

第 4 章

第 67 页，承蒙 iStockphoto 惠允，© Grigory Bibikov，编号 10362465
第 69 页，此图片版权归 Virgin Media

第 71 页，承蒙 iStockphoto 惠允，© Jami Garrison，编号 2252631
第 73 页，承蒙 iStockphoto 惠允，© MBPHOTO，INC，编号 918432
第 79 页，承蒙 iStockphoto 惠允，© Mark Wragg，编号 13558859
第 81 页，承蒙 iStockphoto 惠允，© tolgakolcak，编号 7265127
第 83 页，承蒙 iStockphoto 惠允，© Peter Garbet，编号 5742149
第 87 页，承蒙 iStockphoto 惠允，© Conrad Lottenbach，编号 3131848
第 101 页，承蒙 iStockphoto 惠允，© mphotoi，编号 3431237
第 103 页，感谢 DDB UK 提供图片；感谢 Pete Mould 提供插画
第 105 页，由 Ray Yuen 提供
第 109 页，承蒙 iStockphoto 惠允，© malerapaso，编号 12566021（相框）
第 109 页，承蒙 iStockphoto 惠允，© wsfurlan，编号 8528913（手机）

第 5 章

第 115 页，承蒙 iStockphoto 惠允，© PLAINVIEW，编号 13334346
第 123 页，承蒙 iStockphoto 惠允，© Luis Santana，编号 2329511
第 125 页，承蒙 iStockphoto 惠允，© Thomas Arbour，编号 12878280
第 129 页，承蒙 iStockphoto 惠允，© Anna Yu，编号 8162485（蓝球）
第 129 页，承蒙 iStockphoto 惠允，© Matteo Rinaldi，编号 12117545（高尔夫球）
第 129 页，承蒙 iStockphoto 惠允，© Tomasz Pietryszek，编号 12133382（网球）
第 129 页，承蒙 iStockphoto 惠允，© Chris Scredon，编号 7337356（英式足球）
第 131 页，图片版权归 Transport 伦敦分部
第 133 页，图片版权归 Adam Wilson
第 135 页，感谢 Andrew Skudder 提供图片

第 6 章

第 149 页，承蒙 iStockphoto 惠允，© James Pauls，编号 3098674
第 155 页，承蒙 iStockphoto 惠允，© Steve Harmon，编号 1035401
第 157 页，承蒙 iStockphoto 惠允，© Alina555，编号 4716967

第 7 章

第 165 页，承蒙 iStockphoto 惠允，© Matt Jeacock，编号 9316437
第 169 页，承蒙 iStockphoto 惠允，© Neustockimages，编号 7418248
第 171 页，承蒙 Honda PR 惠允
第 173 页，承蒙 iStockphoto 惠允，© Matt Jeacock，编号 13726223
第 177 页，承蒙 iStockphoto 惠允，© René Mansi，编号 184532

第 8 章

第 181 页，© Ricky Leong
第 185 页，承蒙 iStockphoto 惠允，© Matt Jeacock，编号 12394740

手机号码：______________（此为会员编号）

姓　　名：________ 性别：□男 □女　出生年月：____年__月

通信地址：____

邮政编码：____

电子邮件：____

您购买的图书是：24324 /《简约至上：交互式设计四策略》

（35.00元）

您获得的会员积分是：3.5 分

欢迎参加“**有奖DEBUG**”活动。提交本书勘误，每确认一处即可获赠积分5分。详情见图灵网站。

请沿虚线剪下此页，寄回图灵公司，即可成为图灵读者俱乐部的一员（复印无效）。**积分累计，可获赠书**（赠书清单见图灵网站）。

邮政编码：100107

通信地址：北京市朝阳区北苑路 13 号院 1 号楼 C603

北京图灵文化发展有限公司　图灵读者俱乐部

图灵网站设计图书

书名：锦绣蓝图：怎样规划令人流连忘返的网站（第2版）
书号：978-7-115-21363-1

书名：写给大家看的设计书（第3版）
书号：978-7-115-22536-8

- 有大师指导，人人都能成为设计师！
- 优秀设计就这么简单：C.R.A.P四条基本原则
- 生动幽默，图文并茂，让你手不释卷、欲罢不能

书名：写给大家看的Web设计书
书号：978-7-115-22536-8

- 《写给大家看的设计书（第3版）》姐妹篇
- 世界级设计大师指点迷津
- 生动幽默，图文并茂
- 零起步学会Web设计

书名：网页设计创意书
书号：978-7-115-23835-1

书名：Flex 4一学就会
书号：978-7-115-23601-2

- 27个示例教你轻松学会Flex 4
- 漫画精彩，刻画编码生活
- 趣味盎然，寓教于乐

书名：精通CSS：高级Web标准解决方案（第2版）
书号：978-7-115-22673-0

- Amaxon第一CSS畅销书全新改版
- 令人叫绝的CSS技术汇总
- 涵盖CSS 3和HTML 5

站在巨人的肩上

Standing on Shoulders of Giants

TURING

图灵教育

www.ituring.com.cn

站在巨人的肩上
Standing on Shoulders of Giants
TURING
图灵教育
www.ituring.com.cn